suhrkamp

Hermann Hesse, am 2. Juli 1877 in Calw/Württemberg als Sohn eines baltendeutschen Missionars und einer württembergischen Missionarstochter geboren, 1946 ausgezeichnet mit dem Nobelpreis für Literatur, starb am 9. August 1962 in Montagnola bei Lugano.

Seine Bücher, Romane, Erzählungen, Betrachtungen, Gedichte, politischen, literatur- und kulturkritischen Schriften sind mittlerweile in einer Auflage von mehr als 60 Millionen Exemplaren in aller Welt verbreitet und haben ihn zum meistgelesenen europäischen Autor des 20. Jahrhunderts in den USA und in Japan gemacht.

Diese 1934 entstandene Erzählung, die ursprünglich in Hesses Alterswerk *Das Glasperlenspiel* aufgenommen werden sollte, ist Fragment geblieben und wurde erst drei Jahre nach seinem Tod veröffentlicht. Sie spielt im 18. Jahrhundert in der Blütezeit der europäischen Musik und des Pietismus und zeigt den Umweg, den der eigentlich für die Musik begabte Josef Knecht auf sich nehmen muß, um der Erwartung seiner frommen Mutter zu entsprechen, die ihren Sohn am liebsten als geistlichen Würdenträger gesehen hätte.

»Hier liegt nichts Geringeres als ›große Erzählung‹ vor. Wer gedacht hat, daß unter den großen Erzählern der Generation von Thomas Mann bis Robert Musil, die noch mit Welt und Geschichte umgehen, Hesse an Geisteskraft und durchdringender Intelligenz, auch an sprachlicher Geschmeidigkeit und Differenzierung nicht mithalten könne, kann sich bei der Lektüre dieser Fragmente eines Besseren belehren.«

Joachim Günther

Hermann Hesse
Der vierte Lebenslauf Josef Knechts

Zwei Fassungen

Mit einem Nachwort von
Theodore Ziolkowski

Suhrkamp

Herausgegeben von Ninon Hesse
Zuerst erschienen in »Prosa aus dem Nachlaß«,
Suhrkamp Verlag Frankfurt am Main 1965
Das Nachwort von Theodore Ziolkowski, aus dem Englischen
übersetzt von Ursula Michels-Wenz, wurde dem Band »Der
Schriftsteller Hermann Hesse. Wertung und Neubewertung«
entnommen. Suhrkamp Verlag, Frankfurt am Main 1979.
Umschlagbild: Die Nikolaus-Brückenkapelle in Calw.
Gezeichnet von Rolf Köhler

suhrkamp taschenbuch 1261
Erste Auflage 1986
© Suhrkamp Verlag Frankfurt am Main 1965
© für das Nachwort Suhrkamp Verlag
Frankfurt am Main 1979
Suhrkamp Taschenbuch Verlag
Alle Rechte vorbehalten, insbesondere das
des öffentlichen Vortrags, der Übertragung
durch Rundfunk und Fernsehen
sowie der Übersetzung, auch einzelner Teile.
Druck: Ebner Ulm
Printed in Germany
Umschlag nach Entwürfen von
Willy Fleckhaus und Rolf Staudt

1 2 3 4 5 6 – 91 90 89 88 87 86

Inhalt

Erste Fassung

Unter einem der vielen eigensinnigen, begabten und schließlich trotz allen Unarten beinah liebenswerten Herzöge von Württemberg, die sich mit der »Landschaft« ebenso zäh und siegreich wie launisch und knabenhaft um Geld und Rechte einige Jahrhunderte lang gestritten haben, wurde Knecht in der Stadt Beutelsperg geboren, etwa ein Dutzend Jahre nachdem durch den Frieden von Rijswik das Land für eine Weile von den Teufeln erlöst worden war, die es im Auftrag Ludwigs XIV. lange Zeit wahrhaft viehisch gebrandschatzt, ausgesogen und verwüstet hatten. Zwar dauerte der Friede nicht lang, aber der tüchtige Herzog, mit dem damals berühmtesten Feldherrn Prinz Eugen von Savoyen verbündet, raffte sich auf, schlug die Franzosen mehrmals und trieb sie endlich aus dem Lande, das nun seit bald hundert Jahren mehr Krieg als Frieden und mehr Elend als gute Tage gesehen hatte. Das Land war seinem schneidigen Fürsten dankbar, welcher seinerseits energisch die Gelegenheit ergriff, dem Lande ein stehendes Heer aufzunötigen, womit der gewohnte und normale Zustand einer in ewigem Kleinkrieg warm gehaltenen Haßliebe zwischen Fürst und Volk wiederhergestellt war.
Knechts Vaterhaus stand am Rande der kleinen Stadt, zu oberst in einer steil bergan führenden Gasse, die vom glockentiefen Amboßklang einer Schmiede und

vom Geruch versengter Roßhufe beherrscht war und aus zwei Reihen von kleinen Fachwerkhäusern bestand, die ihre spitz hochlaufenden Giebel zur Gasse kehrten und deren jedes vom andern durch einen modrig finstern Zwischenraum getrennt war. Vor den meisten Häusern standen Misthaufen, manche mit schön geflochtenen Strohkanten, denn die meisten Bürger waren nicht bloß Gewerbetreibende, Kaufleute und Beamte, sondern besaßen auch Wiesen, Äkker und Wald und hatten im Erdgeschoß ihrer Giebelhäuser oder in eigenen Ställen Vieh stehen. Noch bestand, selbst in der üppigen Residenz Stuttgart, dies Zusammenleben von Stadt und Land, von Menschen und Vieh in seiner harmlosen und anmutigen Natürlichkeit; im Juni dufteten die Gassen nach Heu, im September nach Obst und süßem Most, zwischen den Häusern und dem Fluß wandelten morgens und abends die klugen, streitsüchtigen Gänse, im Herbst und Winter wurde vor den Häusern das Tannen- und Buchenholz in Klaftern abgeladen und aufgebaut, und am Rand der Gasse von den Hausvätern, Knechten oder Mägden kurzgesägt und auf dem Block in Scheiter gespalten. Es war ein hübsches Städtchen, umfaßt von starken Mauern, in deren Ritzen kleine Farne wuchsen und auf deren Innenseite fast lauter Gärten lagen, meist Grasgärten mit Nuß-, Birn- und Apfelbäumen, dazwischen standen auch schon zwei von den später sehr beliebten Zwetschgenbäumen, gewachsen aus jenen paar Reisern, welche im Jahr 1688 die Übriggebliebenen jenes schwäbischen Regiments aus Belgrad mitgebracht hatten, wofür sie noch lange von den Baumzüchtern gepriesen wurden. Von der gotischen Kirche, deren Turm im 30jährigen Kriege beschädigt worden und bis zur Stunde nur mit einem bretternen Notdach versehen war, liefen um den gepflasterten Marktplatz herum in unregelmäßigen Reihen die vornehmern Häuser der Altstadt, stolz mit doppelter Freitreppe das Rathaus, aus Herzog Ulrichs Zeiten; von da verloren sich die Gassen, minder prächtig, abwärts zum Flusse, mit der oberen und unteren Mühle endend. Jenseits des Wassers, durch eine Brücke mit der Stadt verbunden, zog sich zwischen Fluß und Berghang noch eine einzige lange Häuserzeile hin, die sonnigste der Stadt. Nicht hier stand Knechts bescheidenes Vaterhaus, sondern im höchsten Stadtteil, oberhalb von Markt und Kirche; auf der Rückseite dieser Gasse schoß in enger Schlucht ein kleiner heftiger Bach zu Tal und in den Fluß, eine der Mühlen stand an seiner Mündung.

Das Knechtsche Haus glich allen andern der Gasse, war aber eins der kleinern und bescheidenern. Das Erdgeschoß wurde vom Stall und einer Vorrats- oder Heukammer eingenommen, eine steile hölzerne Treppe führte nach oben, hier wohnte, schlief, aß, ward geboren und starb die Familie in drei Stuben, neben welchen noch die Küche und oben im Dach eine winzige Kammer vorhanden war. Vor diesem Stockwerk hing auf der Rückseite des Hauses, der Bachschlucht zugewandt, eine schmale Laube, zwischen Wohnung und Dach lag der Dachboden, hier wurde das Brennholz aufbewahrt und die Wäsche zum Trocknen gehängt. Im Stall unten gab es kein

Rindvieh, nur Ziegen und ein paar Hühner. Unter der Treppe führte eine Falltür zum Keller, er war ein fensterloses, in den weichen Fels gehauenes Loch, hier lagerte ein Faß Most, auch wurden hier über den Winter Kohl und Rüben aufbewahrt.

In diesem Häuschen wurde Knecht geboren. Sein Vater hatte ein nicht sehr einträgliches, aber seltenes und geachtetes Handwerk, er war Brunnenmacher. Er war dem Gemeinderat dafür verantwortlich, daß die öffentlichen Brunnen Wasser führten und rein gehalten wurden. Es gab zwar zwei oder drei Brunnen in der Stadt, welche stets von selber liefen, und manche Hausfrau tat es nicht anders, auch wenn es sie einen weiten Weg kostete, füllte sie die Trinkwasserkrüge jeden Tag aus einem dieser Brunnen, welche ihr eigenes, reines, kaltes Quellwasser führten. Die anderen Brunnen und die Viehtränken aber wurden von entfernten Quellen her gespeist, aus Brunnenstuben draußen im Walde, und von den Brunnenstuben den weiten Weg zur Stadt rann dies Wasser in hölzernen Röhren, welche man Teichel nannte. Diese Teichel, die halbierten Stammholzstücke mit halbrund ausgehöhlter Rinne, deren man das Jahr hindurch Hunderte brauchte, diese Teichel herzustellen, zu Leitungen bald über bald unter der Erde zusammenzulegen und zu befestigen, für Gefälle und Reinhaltung zu sorgen, die Schäden an der Leitung beständig aufzusuchen und auszubessern, war des Brunnenmachers Beruf. In strengen Zeiten, etwa nach Überschwemmungen, arbeitete er mit mehreren Taglöhnern, die ihm von der Stadt gestellt wurden. Mit Knechts Vater war der Gemeinderat zufrieden, er war tüchtig und zuverlässig, ein wenig wortkarg vielleicht und in der Art wunderlich wie Leute es leicht sind, die keine Kollegen haben und ihrem Beruf zum größeren Teil draußen in Wald und Einsamkeit nachgehen. Für die Kinder der Stadt war er ein geheimnisvoller Mann, mit den Wassernixen bekannt und in den entlegenen, finsteren Brunnenstuben zu Hause, in welche man nicht hineinblicken konnte und in denen es so fremd und urweltlich klang und gluckte, und aus welchen auch die kleinen Kinder sollten geholt werden.

Der Knabe Knecht hatte großen Respekt vor seinem Vater, es gab nur einen einzigen Mann, an dem er noch ehrfürchtiger emporblickte, der ihm noch edler, würdiger, höher und furchtgebietender vorkam. Dies war der »Spezial«, der höchste evangelische Geistliche der Stadt und des Bezirkes, ein schöner, stets schwarzgekleideter und mit einem Hut geschmückter Herr von hoher Gestalt und aufrechter Haltung, stillem bärtigem Gesicht und hoher Stirn; und daß ihm dieser Priester so besonders ehrwürdig war, daran hatte auch Knechts Mutter Teil. Sie stammte aus einem Pfarrhause, aus einem ländlichen und sehr armen zwar, aber sie hielt fromm und treu an den kirchlichen und geistlichen Erinnerungen ihres Vaterhauses fest, hatte einen Pfarrer zum Schwager, las die Bibel und erzog ihren Sohn im gläubigen Gehorsam gegen die Landeskirche und die reine Lehre, wie sie seit Brenz und Andreä im Herzogtum treu bewahrt worden war. Die Gläubigen der römischen Kirche nannte sie Papisten und Teufelsdiener, und bis zu hohem

Grade verdächtig waren ihr auch die evangelischen Kirchen von etwas anders gefärbtem Bekenntnis, besonders die der Zwinglianer und Calvinisten. Diese Gesinnung bestimmte den Geist und die Erziehung im Haus des Brunnenmachers. Dieser selbst freilich nahm nur schweigend daran teil, ging jeden Sonntag zur Predigt und mehrmals des Jahres zum Sakrament des Abendmahls, womit seine religiösen Bedürfnisse gestillt waren, theologische wie seine Frau hatte er nicht. Dagegen gab es ein anderes Bedürfnis und Interesse, das in der Kirche wie zu Hause Knechts Eltern gemeinsam war, nämlich das für die Musik. Den Gesang der Gemeinde halfen ihre beiden Stimmen fleißig stützen, und wenn sie zu Hause, wie es oft am Feierabend geschah, geistliche oder Volkslieder anstimmten, so sang Vater Knecht kunstvoll die zweite Stimme, und noch waren der kleine Knecht und seine Schwester Benigna nicht schulpflichtig, da sangen sie schon mit, und es wurden auch drei- und vierstimmige Lieder sauber vorgetragen. Dabei neigte Vater Knecht mehr zu den Volksliedern, deren er viele kannte, seine Frau aber mehr zu geistlichen Gesängen. Außerdem trieb der weltlicher gesinnte Brunnenmacher außerhalb des Hauses auf mancherlei Arten Musik, und verschönte damit die Ruhepausen bei seiner meist einsamen Arbeit. Er sang oder pfiff dann seine Volkslieder, Märsche und Tänze, oder blies irgendein von ihm selbst verfertigtes Instrument, am liebsten eine kleine dünne Holzflöte ohne Klappen. Er hatte in seinen Jugendjahren auch als Pfeifer und Zinkenist auf den Tanzplätzen mitgeblasen, bei seiner Verlobung mit der Pfarrerstochter aber, anno 1695, hatte er seiner Braut versprechen müssen, dies niemals mehr zu tun, und hatte sein Wort gehalten, obwohl er nicht so tief und brennend wie seine Frau davon überzeugt war, daß die Wirtshäuser und Tanzböden Brutstätten des Satans seien. In späteren Jahren erinnerte sich Knecht an die seltenen Male, da ihn als ganz kleinen Knaben sein Vater mit auf seine Arbeitsplätze vor der Stadt genommen hatte. Da hatte nach getaner Arbeit der Vater seine kleine helltönende Holzpfeife hervorgezogen, hatte ein Lied ums andre auf ihr gespielt, und der Kleine hatte die zweite Stimme dazu singen müssen. Als sein Vater nicht mehr lebte, gehörte dies Bild des mit ihm im Walde einsam musizierenden Vaters zu den schönsten in seinem Gedächtnis, es hatte jenen überwirklich paradiesischen Glanz und Zauber, den manchmal solche früheste Erinnerungen, und außer ihnen nur manche Träume, haben.

Wie man sieht, lag in geistiger Hinsicht das Hausregiment und die Erziehung mehr in der Mutter als in des Vaters Händen. Der Brunnenmacher hatte durch seine Ehe mit dieser klugen und frommen Frau eine gewisse Vergeistigung, eine Sublimierung seiner Natur erfahren, sein Leben war in eine andere, spirituellere Tonart transponiert worden, er hatte eine fromme und geistig strebsame Frau bekommen, sie konnte sogar ein wenig Latein, er hatte dafür auf einige Gewohnheiten seiner Jugendzeit verzichtet, namentlich auf den Besuch der Wirtshäuser und auf das Mitspielen bei den Tanzbodenmusiken. Indessen war diese Sublimierung seines Wesens doch nur im großen ganzen geglückt. Daß er, wenn er mit sich oder den Kindern allein war, nur seine lieben Volkslieder sang und die Choräle wegließ, deren er sonst genug zu hören bekam, war in Ordnung und natürlich. Dagegen bezahlte er jene Veredlung seines Lebens noch mit manchen kleinen Beschwerden, und eine von ihnen war nicht klein, sondern für ihn und andre recht lästig und peinlich, ja man könnte sie schlechthin ein Laster oder eine Krankheit nennen. Während er nämlich fast das ganze Jahr hindurch als Brunnenmacher, als Gatte, als Hausvater und Kirchenbesucher seinen Pflichten genügte und ein nicht nur ehrbares, sondern mehr als durchschnittlich enthaltsames und gediegenes Bürger- und Christenleben führte, geschah es ihm ein- bis zweimal im Jahr, daß er diese Haltung (welche ihn also offenbar doch irgendwie überanstrengte) verlor und sich gehen ließ, er ergab sich dann einen Tag, oder auch zwei, drei Tage lang dem Trunk, lag in Schenken herum und kehrte nach solchem Exzeß sehr still, scheu und gepeinigt nach Hause zurück, wo seit Jahren über diese betrüblichen Vorkommnisse nur etwa Blicke, doch keine Worte mehr gewechselt wurden. Denn die Zucht, unter der Knechts Leben stand, ließ zwar als Ventil für die undisziplinierbaren Reste seiner Instinkte und Triebe eben jenes Loch der seltenen Anfälle von Trunksucht offen, aber sie war doch stark genug, den Mann bis in dies Laster hinein nicht völlig loszulassen und ihn noch in der scheinbaren Entfesselung einigermaßen zu zügeln: wenn nämlich jener schlimme Hang zur Betäubung ihn überfiel, dann mied der Brunnenmacher nicht nur sein Haus und dessen nächste Umgebung, sondern auch die innere Stadt und die ganze Sphäre seines gewohnten Lebens, und auch in der Gelöstheit und Willenlosigkeit des Rausches passierte es ihm niemals, daß er die gewohnten Schauplätze betreten und sich in solchem Zustand gewissermaßen seinem eigenen Tagesleben gegenübergestellt hätte. Sondern er brachte sein Opfer an die Nachtseite im Verborgenen dar, nahm entweder seine Getränke mit ins Freie, oder genoß sie in der Umgebung der Stadt in geringen Kneipen, wo er keinen Bürger seines Ranges antraf und kehrte niemals betrunken nach Hause zurück, sondern immer erst gereinigt und ernüchtert und schon im Zustand der Reue. So kam es auch, daß die Kinder erst spät von diesen Zuständen erfuhren, und sich auch dann noch jahrelang weigerten an sie zu glauben.

So gehörte zum Erbe des Knaben von beiden Eltern her die Musik, vom Vater her außerdem eine gewisse schwankende Haltung zwischen Geist und Trieb, zwischen Pflicht und Lässigkeit, dazu kam von seiten der Mutter die Devotion vor dem Geistlichen und eine Anlage zur Theologie und Spekulation. Unbewußt fühlte er stark mit seinem Vater, der ihn Waldlaufen und Einsamkeit lieben lehrte, dessen stark gebändigtes Leben etwas im Schatten der Mutter stand und ihn in seinem Hause einigermaßen zum Gast machte, was der Sohn zu Zeiten ahnend und mit einer mitleidähnlichen Zärtlichkeit empfand. Auf der andern Seite aber stand die Mutter und stand eine

Welt der Ordnung und Andacht, und hinter ihr die große feierliche Heimat der Kirche. War es auch nur eine kleine Kirche, für ihn war sie vorerst die einzige, und neben jenen holden Erinnerungsbildern, die seinem Leben mit dem Vater entstammten, standen andre, nicht minder schöne, nicht minder geliebte und heilige: die Mutter und ihre geliebte Stimme, der Geist ihrer biblischen Geschichten und Choräle, die priesterliche Gestalt des Spezials und die Atmosphäre der Stadtkirche, in welche er schon früh mitgenommen wurde. Die Sonntagsstunden in dieser Kirche hinterließen namentlich drei Erinnerungsreihen in seiner Kinderseele: an den Herrn Spezialsuperintendenten, wie er im schwarzen Kleide hoch und ehrwürdig zur Kanzel schritt, an die Wogen der Orgelmusik, wie sie mit langem Atem den heiligen Raum durchflutete, und an das hohe Gewölbe des Kirchenschiffs, zu dem er während der langen, feierlich halbverständlichen Predigten lange und träumerisch emporblickte, bezaubert von dem wunderlich lebendigen Netzgeflechte der Gewölberippen, das so still und steinern und hundertjährig oben hing und beim Betrachten so viel Leben, Zauber und Musik ausstrahlte, als wöben in diesen sich spitzwinkelig schneidenden Steinrippen die Gewalten der Orgelmusik sich spielend und kämpfend fort und fort, unterwegs zu einer unendlichen Harmonie.

Darüber, was einmal aus ihm werden sollte, hatte der Knabe während seiner Kinderzeit manche wechselnde Gedanken und Wünsche. Lange Zeit schien es ihm richtig und selbstverständlich, daß er werde was

sein Vater war, daß er bei ihm dessen Handwerk erlerne, und später selbst ein Brunnenmacher sei, die
Quellen fasse und pflege, die Brunnenstuben rein-
halte, die Holzröhren zusammensetze und in den
Ruhepausen im Walde Lieder auf selbstgemachten
Flöten spiele. Aber etwas später wollte es ihm scheinen, es gebe nichts Erstrebenswerteres, als einmal so
in seiner Stadt einherzugehen wie der Herr Spezial,
schwarz gekleidet und würdevoll, ein Priester, ein
Diener Gottes und Vater der Gemeinde. Nur mochten
freilich dazu Kräfte und Gaben gehören, welche sich
selber zuzutrauen Vermessenheit wäre. Und andrerseits gab es noch andre Wünsche und Möglichkeiten,
vor allem die eine: Musik zu machen, Orgelspielen
zu lernen, Chöre zu dirigieren, oder wenigstens als
Cembalist, Flötenbläser oder Geiger der Kunst zu
dienen. Diese Wunschbilder standen über seiner Kindheit, und mit dem Schwinden und Abwelken der
Kindheit schwand und welkte mehr und mehr auch
der früheste und unschuldigste dieser Wünsche: zu
werden was sein Vater war.

Knechts Schwester Benigna, einige Jahre jünger als
er, ein schönes und etwas scheues und eigenwilliges
Kind, war im Singen und später auch im Lautenspie-
len von unbeirrbarer Sicherheit. Sicherer und entschiedener als ihr Brüderchen war sie auch in ihren
Gefühlen. Sie neigte schon in ihren ersten Jahren
mehr zum Vater als zur Mutter, und stellte sich später
immer mehr auf dessen Seite, wurde sein Liebling
und Kamerad, lernte alle seine Volkslieder, auch jene,
die man zu Hause vor der Mutter nicht sang, und hing

ihm mit leidenschaftlicher Liebe an. Übrigens waren die beiden keineswegs die einzigen Kinder des Brunnenmachers, es wurden sechs oder mehr geboren, und zuzeiten war das kleine Haus überfüllt mit Kindervolk, aber nur die zwei wurden groß, alle andern starben früh, wurden beweint und wurden vergessen, und so sei von ihnen hier nicht die Rede.

Von den großen und kleinen Eindrücken, Ereignissen und Begegnungen in Knechts Kindheit war es ein Erlebnis, das tiefer als alle andern in ihn einging und in ihm nachhallte, das Erlebnis eines Augenblickes nur, aber es hatte symbolische Kraft.

Den Spezial Bilfinger kannte Knecht nicht eigentlich als einen Menschen, sondern mehr wie eine Heldenfigur oder einen Erzengel; in einer unerreichbaren Ferne, Höhe und Würde schien dieser Hohepriester zu atmen und zu schreiten. Knecht kannte ihn von der Kirche her, wo der Spezial entweder am Altare stehend oder erhaben auf der Kanzel ragend mit Gestalt, Gebärde und Stimme die christliche Gemeinde regierte, ermahnte, beriet, tröstete, warnte, strafte oder als Mittler und Herold ihr Flehen, ihren Dank, ihre Sorgen im Gebet vor Gottes Thron brachte. Ehrwürdig, heilig und auch heldisch erschien er da, keine Person sondern nur Gestalt, nur Darstellung und Fleischwerdung des Priesteramtes, Künder des göttlichen Wortes, Verwalter der Sakramente. Auch von der Straße kannte er ihn; dort war er näher, erreichbarer, menschenähnlicher, dort war er mehr Vater als Priester, von jedermann ehrerbietig gegrüßt schritt er hoch und schön einher, blieb bei einem Alten stehen, ließ sich von einer Frau ins Gespräch ziehen, bückte sich zu einem Kind herab, und sein edles geistiges Gesicht war hier nicht amtlich und unnahbar, sondern strahlte Güte und Freundlichkeit, und Liebe und Vertrauen kam ihm aus allen Gesichtern, Häusern und Gassen entgegen. Auch er, der Knabe Knecht, war schon einige Male von diesem Patriarchen angesprochen worden, hatte seine große Hand um seine kleine oder auf seinem blonden Kopf gefühlt, denn Bilfinger anerkannte und schätzte in Frau Knecht sowohl die Pfarrerstochter wie das eifrig-fromme Gemeindeglied, und sprach sie oft auf der Gasse an, hatte bei Krankheiten und beim Sterben der Kinder auch je und je das Knechtsche Haus betreten.

Das Erlebnis eines unvergeßlichen Augenblicks nun gab dem Priester und Patriarchen, dem Prediger und Halbgott für den Knaben plötzlich ganz neue Züge und setzte ihn in ganz neue, bestürzende und auch beglückende Beziehungen zu ihm.

Der Spezial wohnte nahe der Kirche in einem schönen steinernen Amtshause, das von der Gasse etwas zurückstand und mit ihr durch eine breite, schwer gemauerte Treppe mit acht oder zehn Stufen verbunden war. Ein Portal mit massiver Nußbaumtür und schwerem Messingbeschlag führte ins Haus, das man Spezialat nannte, aber im Erdgeschoß dieses Hauses waren keine Wohnräume, nur eine große leere Vorhalle mit Steinfliesen und ein saalartiger, flach gewölbter Raum für Sitzungen; hier konferierten zuweilen die Gemeindeältesten und kamen alle paar Wochen die Geistlichen der Umgegend bei ihrem Vor-

gesetzen und Visitator zu einer kollegialen Geselligkeit mit Vorträgen und Disputationen zusammen.
Die Wohnung des Spezials und seiner Familie lag ein
Stockwerk höher. Diese vornehme Abgeschlossenheit
und Unsichtbarkeit seines Alltagslebens paßte sehr
zum Spezial, obwohl er sie nur einem Zufall verdankte: das Spezialat war in frühern Zeiten das
Amtshaus des gräflichen Vogtes gewesen und es gab
noch einige alte Leute am Ort, die es »Vogtei« hießen.
Nicht selten hatte der Knabe Knecht, wenn er in
diese Gegend kam, sich das vornehme und geheimnis-
volle Haus des Spezials neugierig angesehen, war die
kühle Vortreppe hinan geschlichen, hatte das glänzende Messing an der altersdunklen Tür berührt und
die Ornamente darauf betrachtet, hatte auch etwa
durch einen Türspalt einen Blick ins Haus getan, in
die stille Vorhalle, aus deren stiller, düstrer Leere
man weit hinten eine Treppe hinan führen sah. Andere, gewöhnliche Häuser erlaubten irgendeinen Blick
in das Leben ihrer Bewohner, man sah durchs Fenster
jemand in der Stube sitzen, sah Hausbesitzer, Knecht
oder Magd bei einer Arbeit, sah Kinder spielen. Hier
aber verbarg sich alles, hoch oben in vollkommener
Stille und Unsichtbarkeit verlief das häusliche Leben
des Spezials, der Witwer war und dessen Haushalt
eine schweigsame alte Verwandte führte. Hinter dem
Spezialat erstreckte sich ein Garten mit Obstbäumen
und Beerensträuchern, auch er wohlumhegt und verborgen, nur der nächste Nachbar mochte hier etwa
den geistlichen Herrn an Sommertagen auf und nieder wandeln sehen.

Nun wohnte am Berghang, gerade über jenem Garten, eine Base von Knechts Mutter in zwei hochgelegenen Kammern, eine alte Jungfer, und es kam vor, daß Frau Knecht zu einem Besuch bei ihr eins der Kinder mitnahm. Dies begab sich einmal wieder, an einem Herbsttag, und der Knabe stand, während die beiden Frauen ihre Fragen und Erzählungen austauschten, am Fenster, anfangs etwas gelangweilt und mürrisch, dann vom Blick auf den tief unten liegenden Garten des Spezials gefesselt, dessen Bäume ihre letzten fahlen Blätter gegen den Oktoberwind verteidigten. Auch auf das Haus des Spezials konnte man hier blicken, doch waren alle Fenster seiner Wohnung geschlossen und hinter den Scheiben und Vorhängen nichts zu erkennen. Ein Stockwerk höher aber blickte man in einen Dachboden, wo etwas Wäsche aufgehängt war und Brennholz gestapelt lag. Und daneben sah man, schräg von oben herab, in eine ziemlich kahle Dachkammer, wo eine große Kiste mit Papieren gefüllt stand und alter, weggeräumter Hausrat an der Wand stand und lag, eine Truhe, eine alte Kinderwiege, ein baufälliger Lehnstuhl mit zerrissenem Bezug. Gedankenlos aber neugierig starrte Knecht in diesen unwohnlichen Raum und auf das dort verkommende Gerümpel. Da plötzlich erschien in der Kammer eine große Gestalt, es war der Spezial selber. Barhaupt im grauen Haar, im schwarzen langen Gehrock, trat er ein, und Knecht wartete mit gespannter Neugierde, was wohl der ehrwürdige Herr in diesem vernachlässigten Winkel zu verrichten habe.

Spezial Bilfinger ging mehrere Male mit starken Schritten durch die Kammer auf und nieder, mit sorgenvollem Gesicht, sichtlich von Kummer und schweren Gedanken gepeinigt. Dann blieb er stehen, mit dem Rücken zum Fenster, langsam das Haupt senkend. So stand er eine Weile, und nun ließ er sich plötzlich auf beide Knie nieder, faltete seine Hände und preßte sie zusammen, hob und senkte die gefalteten Hände betend, verharrte knieend und tief zum Boden gebückt. Knecht verstand sofort, daß er betete, und ein Gefühl von Scham und schlechtem Gewissen zog ihm das Herz zusammen darüber, daß er Zuschauer dieses Betens und Knieens geworden war, aber es war ihm nicht möglich, sich abzuwenden, atemlos und erschrocken starrte er auf den knieenden Mann, sah seine Hände flehen und sein Haupt wieder und wieder sich neigen. Und endlich stand der Mann wieder auf, langsam und mit einiger Mühe, wurde wieder groß und aufrecht, und einen Augenblick konnte Knecht sein Gesicht sehen; es standen Tränen in seinen Augen, aber das ganze Gesicht glänzte sanft, schimmerte von einem stillen andächtigen Glück und sah so schön und unbeschreiblich liebenswert aus, daß der Knabe an seinem Fenster einen Druck und Schauer im Innern empfand und weinen mußte.

Knecht gelang es, seine Tränen, seine Bewegung und sein ganzes Erlebnis zu verbergen, und dies war das erste, im Augenblick stärkste Ergebnis des Erlebten: er hatte ein Geheimnis, er hatte etwas Unaussprechliches, etwas Großes aber Schamhaftes ganz für sich allein erlebt, und hatte sofort gewußt, daß er dies niemandem würde mitteilen können. Aber dies war bloß eine von vielen tiefen und wirksamen Bedeutungen jenes Augenblickes, der für lange Zeit die Quelle von Phantasien und Seelenbewegungen, Grübeleien und Wünschen blieb; ja, wenn Knecht am Ende seines Lebens gefragt worden wäre, welche Begebenheit in seinem Leben die wichtigste und unvergeßlichste gewesen sei, so hätte er vielleicht diese Stunde genannt, da er am Fenster seiner Tante und über den öden Herbstgarten hinweg in seiner Dachkammer den Herrn Spezial hatte niederknieen und beten sehen. O wieviel bedeutete dies, wieviel brachte es in Bewegung; wie viele Gesichter hatte es! Er, der etwa siebenjährige Knabe, hatte einen großen, erwachsenen Mann, einen alten Mann bekümmert und hilfsbedürftig durch die Kammer laufen, hatte ihn niederknieen, beten und weinen, ringen, sich demütigen und flehen sehen. Und dieser Mann war nicht irgendeiner gewesen, sondern der Spezial, der verehrte und etwas gefürchtete Prediger, der Mann Gottes, der Vater aller, der von allen tief Gegrüßte, der Inbegriff aller männlichen und priesterlichen Würde und Hoheit! Ihn hatte er sorgenvoll und verzagt, ihn hatte er kindlich und demütig sich in den Staub niederlassen und vor Einem knieen sehen, vor welchem auch er, der Verehrte und Große, nur ein Kind und nur ein Stäubchen war! Diese beiden Gedanken waren die ersten, die sich aus dem Anblick ergaben: wie aufrichtig und von Herzen fromm dieser Mann sein müsse – und wie groß, wie königlich und gewaltig Gott sein müsse, daß ein solcher Mann solchergestalt sich vor ihm hinwarf und zu ihm flehte! Und weiter: das Flehen war erhört worden, es hatte Frucht getragen; unter Tränen hatte das Gesicht des Beters gelächelt, hatte Erlösung, Stillung, Tröstung und süße Zuversicht ausgedrückt. In Monaten und Jahren dachte Knecht den Inhalt dieser Augenblicke nicht zu Ende, er strömte wie eine Quelle. Er wandte des Knaben Gedanken, der sich oft gewünscht und erträumt hatte, selbst einmal ein Spezial in schwarzem Anzug und Schnallenschuhen zu werden, hinüber zu dem, dessen Diener der Spezial war, von dem er Amt, Bedeutung und Ansehen bekommen hatte. Und wieder war Ihm gegenüber dem Herrgott, der Spezial nicht bloß ein Diener, Beamter und Beauftragter, nein, er war sein Kind, wandte sich an ihn wie ein Kind an den Vater, demütig aber voll Offenheit und Vertrauen. Für Knecht aber, für den kindlichen Zuschauer jenes Gebetes, war der Spezial zugleich weniger und mehr geworden, hatte irgendetwas an stolzer Würde verloren und dafür etwas an Adel und Heiligkeit gewonnen, war aus den natürlichen und gewohnten Ordnungen heraus und unmittelbar in Beziehung zum himmlischen Vater getreten. Wohl hatte auch Knecht selbst schon oft gebetet, ja er betete jeden Tag, und nicht immer nur aus Zwang und Gewohnheit. Aber ein solches Gebet war ihm bisher unbekannt gewesen, unbekannt diese Not und Getriebenheit, diese Hingabe und Werbung, diese Demut und Ergebung und dieses Wiederaufstehen in Freude, Versöhnung und Gnade. Zum erstenmal sah Knecht im Beruf und Leben eines Geistlichen etwas ganz andres als das Würdige und Amtliche, zum erstenmal spürte er hinter Prediger und Predigt, hinter Kirche, Orgelklang und Gemeinde die Macht, zu deren Dienst und Preis dies alles da war, Ihn selbst, der der Gebieter der Könige und zugleich der Vater jedes Menschen ist.

Langsam nur entwickelten alle diese Betrachtungen sich in dem Kinde, und manche wurden nie zu Bewußtsein und Wort, aber alles was Knecht später ein Leben lang an geistlichen Gefühlen und Gedanken hinzu brachte, wurzelte mit in jener Stunde. Und daß das Nachdenken darüber so lange Zeit brauchte und Jahre dauerte, daran war noch etwas anderes schuld, jene andere Seite des Erlebten, jene schamhafte und etwas beklemmende, beunruhigende und vereinsamende Seite. Das Große, was ihm begegnet war, war nichts dessen er sich rühmen und vor andern froh werden durfte, es war zugleich etwas Beschämendes daran, er war Zeuge einer Sache gewesen welche alle Zeugen scheut und ausschließt, er war Zuschauer von etwas geworden was man nicht schauen soll. Er hatte für den Spezial seit jener Stunde nicht nur eine gesteigerte Ehrfurcht und ganz neue Liebe, sondern schämte und fürchtete sich zugleich vor ihm wie vorher nie. Das Geheimnis und die Scham brachten es dazu, daß seine Gedanken, die doch begierig an dem Gesehenen hafteten, zugleich von diesem Gesehenen fortstrebten, daß er das Unvergeßliche zu vergessen wünschte. Er strebte davon hinweg und ward zu ihm zurückgezogen. Knecht war ein bescheidener, stiller Knabe von geringem Selbstvertrauen; wäre nicht das

Biegsame, Musikalische, Harmoniesuchende in seiner Natur gewesen, so hätte sein Geheimnis ihm geschadet. Auch so drückte es schwer.

Die Schule dauerte jedes Jahr vom Herbst bis zum Frühling, außer dem Lesen und Schreiben lernte man dort Bibelsprüche und geistliche Lieder; es war oft langweilig, doch niemals anstrengend. Die Musiknotenschrift lernte Knecht früh und spielend von den Eltern. Früh und immer wieder las er die paar Bücher, die seine Eltern besaßen. Das wichtigste und unerschöpflichste war die Bibel, aus welcher auch jeden Morgen ein wenig vorgelesen wurde, wonach jedesmal auch ein Choral gesungen wurde. Außer den Chorälen, die man von früh an auswendig konnte und hundertmal gesungen hatte, gab es noch viele andere, sie standen gedruckt in einem kleinen pergamentenen Buch mit ganz schmalen Zeilen, dessen Titel hieß: »Geistliche Seelen-Harpffe oder Würtembergisches Gesangbüchlein.« Dieses zierliche Buch in Sedez hatte der Knabe gern, auf dem Pergament des Einbandes war in zarter Zeichnung und leicht mit Farben getönt eine Pflanze mit fünf verschiedenen Blumen und dreierlei Blättern eingepreßt, die aus einer Vase emporwuchs, darum herum lief eine dünne Goldleiste, und innen vor dem Titelblatt und dem Privilegium des Herzogs waren zwei Blätter mit Kupferstichen, auf dem einen sah man den König David auf einer schön geschweiften Harfe spielen, die oben mit einem Engelsköpfchen verziert war, fünf hebräische Schriftzeichen schwebten wie eine Sonne darüber, auf dem andern Blatt saß der Heiland am Rande

eines Ziehbrunnens und sprach zu einer Frau, und
der Brunnen war Jakobs Brunnen in der Stadt Sipar
in Samaria, und die Frau war jene Samariterin,
welche an den Brunnen kam um Wasser zu schöpfen
um die sechste Stunde, da Jesus müde von der Reise
dort rastete, und zu ihr sprach: »Gib mir zu trinken«, und sie antwortete: »Wie bittest du von mir zu
trinken, so du ein Jude bist, und ich ein samaritisch
Weib?« (Joh. 4, 9). Darunter sah man das herzogliche
Wappen mit den drei Hirschgeweihen, den Mömpelgarter Fischen und andern Emblemen sowie eine ganz
kleine Abbildung der Stadt Tübingen. Und in dem
Buche standen mehr als dreihundert geistliche Lieder,
gedichtet von Dr. M. Luther, vom Herzog Wilhelm
zu Sachsen, von Clausnitzer, Rinckhardt, Rist, Heermann, Nicolai, Paulus Gerhard, Joh. Arnd, Goldevius und vielen andern Dichtern, deren manche
prachtvoll fremdländische Namen hatten wie etwa
Simphorianus Pollio. Wenn er diese Lieder mit den
Eltern sang, dann war der Zusammenklang und die
Verschränkungen der Stimmen die Hauptsache und
der fromme Inhalt nur Unterlage und Grundstim-
mung. Las er aber für sich allein, dann erst suchte er
die Worte im einzelnen zu verstehen, und erbaute
und ergötzte sich an der Erwartungsfreude der Ad-
vents- und der Festlichkeit der Weihnachtslieder, an
der bangen Klage der Passions- und dem Jubel der
Auferstehungslieder, an der Bitterkeit der Bußcho-
räle, der Bilderfülle der Psalmengesänge, an den frischen Morgen- und sanftraurigen Abendliedern;

Nun geht ihr matten glieder,
Geht hin und legt euch nieder,
Der betten ihr begehrt;
Es kommen stund und zeiten,
Da man euch wird bereiten
Zur ruh ein bettlein in der erd.

Früher als die Bibel erfüllte und entzückte ihn diese
Lektüre, die Lieder waren ihm Erbauung, waren ihm
Dichtung, waren ihm Theater und Roman, aus ihnen
erfuhr er am eindringlichsten die Geschichte von Jesu
Leiden, Tod und Herrlichkeit, aus ihnen ward ihm
die erste Deutung des Menschenherzens mit seinen
Erhebungen und Ängsten, seiner Tapferkeit und Bos-
heit, seiner Vergänglichkeit und seinem Streben nach
Verewigung, die erste Kunde vom Leben in dieser
Welt, wo so oft das Böse triumphiert, und vom Reich
Gottes, das in diese Welt hineinragt und sie mahnend
und richtend auf sich bezieht:

Erzürn dich nicht, o frommer Christ,
Vor Neid tu dich behüten
Obschon der Gottloss reicher ist
So hilft doch nicht sein Wüten.

Die Erbschaft von zweihundert Jahren deutscher Re-
formation war da aufbewahrt, und manches Stück,
wie etwa die von Luther selbst übersetzte Litanei
»Kirieleis«, war noch älter und brachte einen Klang
noch ehrwürdigeren und geheimnisvolleren Altertums mit hinein. Vieles vom Schatz des christlichen

Wissens und Seelenbesitzes, an dem die Christenheit vor Luther gezehrt hatte, war entschwunden und fern, galt jetzt für papistisch, für Bilderdienst, für Weltliche Gebärde, das Christentum war enger geworden, seine Pracht und Macht war nicht groß, aber es war auch Jugend, Leben, Sturm und Spannung in diesem verengten Glauben, der noch zur Stunde in Frankreich, in Mähren und anderwärts verfolgt und blutig befeindet wurde und Helden, Dulder und Märtyrer besaß.

Die Mutter sah es gern, daß Knecht in ihrem Büchlein, und später in der Bibel, las, und war geduldig und mitteilsam, wenn er Fragen stellte. Ihr tat es wohl, daß eins ihrer Kinder diesen Zug zum Geistlichen in sich hatte, und sie war gesonnen, falls er einmal ein Theolog und Prediger sollte werden wollen, alles zu tun um es ihm zu ermöglichen. Sie brachte ihm auch die Anfänge des Lateins bei, soweit sie dazu fähig war.

Daß ein Knabe den Beruf finde, den er nicht bloß einigermaßen auszufüllen imstande ist, sondern der das in ihm liegende Traumbild zu erwecken und ins Leben zu gestalten vermag, der ihn nicht nur nährt und ehrt, sondern steigert und erfüllt, das geschieht nicht allzu häufig, und es müssen viele Umstände zusammentreffen, wenn es glücken soll. Wir neigen vielleicht allzu sehr dazu, aus den Lebensläufen begabter Männer der Vorzeit, der sogenannten Genies, ein Schema zu machen und uns damit zu beruhigen, daß schließlich noch jedesmal der wirklich Starke und Begabte seinen Weg gefunden und den ihm gebühren-

den Platz erreicht habe. Diese allzu bürgerliche Annahme ist nichts als ein feiges Wegblicken von der
Wirklichkeit; es sind nicht nur viele jener berühmten
Genies trotz hoher Leistungen nie das geworden, wozu der Wurf und die Berufung in ihnen lag, sondern
es sind auch zu allen Zeiten unzählige der Höherbe-
gabten einfach durch äußere Umstände nicht, oder zu
spät, auf den ihrer würdigen Weg gekommen. Daß
auch ein unseliges und mißglücktes Leben von manchem nicht bloß ertragen, sondern am Ende mit dem
amor fati umfangen und geadelt werden kann, hat
damit nichts zu tun.

Für den kleinen Knecht zum Beispiel wäre ein seinen
Anlagen entsprechendes, erfülltes und glückliches Leben eine durchaus denkbare Möglichkeit gewesen. Er
hatte wenig Ehrgeiz und war mehr eine Künstler- als
Gelehrtennatur, er hatte von beiden Eltern kräftige
musikalische Fähigkeiten geerbt, es hätte nur einer
Umgebung mit etwas höherer musikalischer Kultur
bedurft, er hätte nur in einer Stadt mit Konzerten,
Theater, guten Musiklehrern usw. aufwachsen müssen, so wäre es gar nicht schwer für ihn gewesen und
hätte seine Eltern keine hohen Opfer gekostet, ein
guter Musikant zu werden. Aber an diese Möglichkeit dachten weder seine Eltern noch er selbst, sie war
nicht vorhanden; mitten im Deutschland des musika-
lischen 18. Jahrhunderts fand die Begabung dieses
Knaben vorerst keinen Weg zur Erfüllung. Es mochte
vielleicht in Stuttgart am Hofe ganz gute Musiker
geben, und auch in einigen wenigen Städten gab es
vielleicht besoldete Musiker als Organisten und Chor-

dirigenten, aber das war weit weg, das waren seltne Ausnahmen, nie hatte Knecht davon als Knabe gehört, daß es vielleicht möglich sei, sich ernstlich zum Musiker ausbilden zu lassen und damit sein Brot, ja Erfolg und Ruhm zu finden. Wohl gab es in allen Städtchen Schwabens Musikanten, nämlich die Spielleute, die zu den Festen und zum Tanz aufspielten, aber sie waren kaum besser denn als Vagabunden angesehen, sie zogen herum und suchten ihr karges Brot, boten sich für jede Hochzeit, für jede Kirchweih, jeden Tanzsonntag zum Aufspielen an, galten für versoffen und liederlich, und kein rechter Bürger hätte seinen Sohn in diesen verachteten Stand weggeben mögen. Vater Knecht selbst hatte als junger Bursche, obwohl nicht Berufsmusikant, an Feiertagen in den Tanzmusiken mitgeblasen und blies alle dort gelernten Tänze für sich allein im Walde noch immer, auf einen Platz unter den leichtfertigen Spielleuten aber hatte er an dem Tage feierlich verzichtet, an dem er das Jawort seiner Braut bekommen hatte. Der Sohn Knecht selber, der schon früh die Flöte blies und bald auch die Laute spielen lernte, hätte verwundert den Kopf geschüttelt, wenn ihn jemand gefragt hätte, ob er ein »Schnurrant« werden wolle. Hätte er aber, schon als Knabe, davon gewußt daß es nicht unmöglich sei, bei guten Meistern die Musik zu lernen, in einer Residenz auf die Bank einer großen herrlichen Orgel oder auf das Kapellmeisterpult einer Oper oder auch nur an den Platz eines anständigen Kammermusikers zu kommen, so hätte er vielleicht nie einen andern Lebenswunsch und Zukunftstraum in sich großgezogen. So aber nahm die Musik in seinem Herzen zwar stets die erste Stelle ein, nicht aber in seinem Bewußtsein, denn er wußte nicht, daß es Menschen gebe, deren Leben ernsthaft und heilig im Dienst der Musik stand so wie das Leben anderer im Dienst des Herzogs, oder der Kirche, oder des Gemeinderats. Er kannte drei Arten von Musik: das Spielen und Singen zu Hause mit den Seinen, das war herrlich, aber es war eine Sache des Feierabends, ein Zeitvertreib, und ihn dachte er sich nie rauben oder verbieten zu lassen; dann die Musik in der Kirche, die war Dienerin der Kirche und hatte zu schweigen, sobald der Prediger den Mund auftat; und endlich die Musik der Spielleute, die Groschenmusik bei Hochzeiten und Jahrmärkten, die war nicht ernst zu nehmen, wenn auch so ein Geiger oder Oboist noch so gut spielte.

Indessen ist jeder Mensch, sei er auch noch ein Kind, ein sehr zusammengesetztes Wesen mit vielerlei Bedingungen und Herkünften. Knecht war zwar ein gesundes und zum Glück bestimmtes Kind und vorwiegend heiter, und wuchs in einem leidlich friedlichen und glücklichen Hause heran, doch war dieses Haus und dieses Hauses Glück nicht frei von Schatten und Problematik, und die Kinder hatten daran teil, ob sie es nun ahnen mochten oder nicht. Da war Vater Knecht, ein schöner und kräftiger Mann, geschickt in seinem Handwerk, dazu musikalisch, ein einfacher und kindlicher Charakter, aber er hatte doch in der Jugend einen Hang zu Tanzboden und Wirtshaus gehabt, und hatte nicht umsonst das Bedürfnis gehabt, sich mit einer ihm an Stand, Charakter und Geistigkeit überlegenen Frau zu verbinden, ein zum großen Teil geglücktes, doch immerhin nicht völlig geglücktes Wagnis; hätte nicht seine Tüchtigkeit und Selbständigkeit im Beruf ihn gestärkt, so daß er Achtung genoß und die Seinen ehrenhaft ernährte, dann wäre er neben seiner Frau von zu geringem Gewicht gewesen. Und die Frau selbst, von ihrem Mann wie von ihrem Sohn geliebt und höchlich bewundert, hatte doch ein waches Empfinden dafür, daß ihr Mann geringeren Standes war als ihr Vater gewesen war, und neigte zu einer Überschätzung des Standes, dem sie nicht mehr angehörte, war darum auch für ihre Kinder ehrgeizig, sie hätte am liebsten aus ihrem Sohn einen Spezial, wenn nicht Prälaten oder Professor, und aus der Tochter mindestens eine Pfarrfrau werden sehen. Dies alles war keineswegs schlimm, aber immerhin waren Spannungen da, und ein Glück war es, daß außer der ehelichen Liebe zwischen dem Brunnenmacherpaar auch noch die Zauberin da war, die Fee der Musik, der gute Geist des Hauses.

Wenn die Berufswahl und Zukunftswünsche des jungen Knecht ihre Problematik hatten, so wurzelte sie aber nicht nur in seinen ganz persönlichen Umständen und denen seiner Eltern. Schließlich ist der einzelne ja kein Endzweck, und wird durch seine Geburt nicht nur zwischen Eltern und Geschwister gestellt, sondern auch in ein Land, eine Zeit, eine Kultur, eine Epoche, und so war auch Knecht, lang ehe er davon wissen konnte, in Bewegungen, Probleme, Sehnsüchte, Irrtümer und Denkformen, Vorstellungen und Träu-

me hineingeboren, welche Ort und Epoche ihm zubrachten, und von welchen manche ihm mit der Zeit
so wichtig wurden, daß er sie durchaus als seine eigenen empfand, sie nicht nur dumpf und als Massenteil
mit erlitt, sondern sie denkend, sehnend, kämpfend
und verantwortlich erlebte. In ihm, dem Musikbe-
gabten, war die stärkste aller Sehnsüchte die nach
Harmonie, nach einer Ganzheit, nach einem Mitspielen und Mitschwingen im Großen, nach einer Hingabe
der Person an ein Ideal, ein unbedingt Edles und
Gutes. Dieser Sehnsucht folgte sein Leben innerhalb
der Formen und Konstellationen, in welche er hinein
geboren war. Von hier aus gesehen, ist es sinnvoll und
wichtig, daß er schon früh in ein inniges Verhältnis
zu Religion und Kirche trat, und nach einigen harmlosen Schuljahren zum Theologen bestimmt wurde.
Denn dahin kam es, trotz einigen Besorgnissen und
Einwänden des Vaters, in Knechts zehntem oder elf-
tem Jahr. Da wurde er aus der Schule genommen und
dem alten Präzeptor Roos anvertraut, der schon
manchem Knaben das Latein beigebracht und ihn für
die gelehrten Schulen vorbereitet hatte. Die letzte
Zeit vor dem Beginn dieses Unterrichts, für dessen
Bestreitung der Herr Spezial einen Beitrag von fünf-
zehn Gulden aus einer von ihm verwalteten Stiftung
zusagte, diese letzte Zeit seiner Kinderfreiheit, ein
paar Sommerwochen, blieb für Knecht eine köstliche
und oft mit Wehmut gepflegte Erinnerung. Es war ein
Lebensabschnitt zu Ende, der Knabe war eine Weile
der Gegenstand von Sorgen, Beratungen, Plänen und
Entschlüssen gewesen und kam sich geehrt und wich-

tig vor, mit Neugierde und auch mit etwas Furcht erwartete er sein neues Leben, und nun war er zuvor noch einmal Kind, durfte halbe und ganze Tage mit dem Vater gehen, ihm zusehen und helfen, bekam eine neue Flöte von ihm geschenkt, und trug ganz neue hirschlederne Höschen, in denen ihn seine kleine Schwester Benigna sehr bewunderte. Im übrigen fand sie es dumm, daß ihr Bruder studieren und Pfaff werden sollte, sie hatte gehofft, der Vater werde es nicht zugeben. Auch sie wurde manchmal mitgenommen, wenn der Vater bei gutem Wetter draußen zu inspizieren hatte, und wenn sie sich müde gelaufen und unter den Tannen im Moos geruht und ihr Mittagsbrot mit Milch und Beeren verzehrt hatten, sangen sie zwei- und dreistimmig die schönen Volkslieder, »All meine Gedanken« oder »Innsbruck ich muß dich lassen«. In einem kalten, klaren Bach zwischen den Felsen und Farnwedeln lehrte der Vater ihn die Forellen belauern, die er mit den Händen zu fangen verstand, und der Mutter brachten sie Blumensträuße und Töpfe voll Beeren heim. Alle Nachbarn wußten davon, daß der Kleine Latein lernen und studieren sollte; man rief ihn an, lobte ihn, gratulierte ihm, schenkte ihm einen Wecken, eine Handvoll Kielfedern, ein Stück Kirschkuchen. Der Schmied, dessen Amboßklang die Gasse erfüllte, rief ihn zu sich in die rußige Werkstatt, in deren Tiefe die Esse glühte, er gab ihm die harte Riesenhand, lachte ihn an und sagte: »Also Latein willst du lernen und Pfaff werden? Schau, Büble, darauf geb ich keinen Dreck, und der Heiland auch nicht, der hat selber kein Latein gekonnt. Vergiß du nicht, wenn du einmal die Bäffchen umbindest und auf die Kanzel steigst, daß dein Vater ein braver Handwerksmann war und daß das soviel oder mehr ist als ein Studierter. Na, erschrick nicht, es ist nicht bös gemeint, aber es ist schad um dich. So, und jetzt warte noch einen Augenblick.« Damit lief er aus der Werkstatt, blieb eine kleine Weile aus und kehrte wieder mit einem Gänseei in der Hand, das er dem Buben schenkte. Dieser aber hatte, während der Meister draußen war, nicht etwa über seine Rede nachgedacht, sondern einen kleinen Hammer von der Werkbank gegriffen und damit leise, mit langen Pausen, mehrmals auf den Amboß geklopft, dem süßen vollen Klang mit Entzücken lauschend.

Die kleine Festzeit war vorüber, eines Morgens in kühler Frühe brachte die Mutter den Schüler zum Herrn Präzeptor Roos, trug auch als Einstandsgeschenk ein Körbchen voll Erbsen und Spinat bei sich, und kehrte mit dem leeren Korb und ohne Sohn nach Haus zurück. Knecht aber blieb in der Stube des Präzeptors, der war schon alt und seine Hand zitterte so sehr, daß er eine ganze Weile brauchte, bis er Griffel oder Feder an der rechten Stelle angesetzt hatte, dann aber schrieb er langsam und genau seine Reihen von vollkommenen, wunderbar schönen und ebenmäßigen Buchstaben oder Zahlen hin. Er war ein berühmter und gefürchteter Lehrer gewesen, von seinen einstigen Schülern waren zwei Prälaten geworden, einer Hofastronom, sechs Speziale, und viele Stadtpfarrer, Dorfpfarrer und Lateinlehrer. Feurig und voll Leidenschaft im Lehren war der Greis noch immer, doch ging es in seiner Stube ruhiger zu als einst in seiner Lateinschule, wo des Prügelns, Scheltens und wütenden Hinundherrennens an manchen Tagen kein Ende gewesen war. Alle Schüler hatten ihn gefürchtet, manche ihn gehaßt, einer hatte ihn vor Jahrzehnten in der Notwehr so in die linke Hand gebissen, daß man noch jetzt die Narbe sah. Er hatte das Prügeln nun aufgegeben, wenigstens beinahe, war aber noch immer ein strenger und gewaltiger Herrscher und hielt seinen Schüler in genauer Zucht. Aber Knecht hatte es dennoch im ganzen gut bei ihm, er hatte von Anfang an bei ihm einen Stein im Brett, vielmehr zwei. Erstens hatte der Präzeptor für Knechts Mutter, deren Vater er gekannt hatte, eine Bewunderung und Schwäche, die sich gelegentlich in Formen einer veraltet ritterlichen Galanterie äußerte, und zweitens war der Alte nicht nur Lehrer, sondern auch Musiker, hatte jahrzehntelang die Orgel bedient und den Chor der Lateinschüler in Knörzelfingen geleitet, und wenn es vorerst nur eine Gefälligkeit gegen Frau Knecht war, daß er in seinem Ruhestand nochmals einen Schüler annahm, so gewann er bald den Knaben lieb, weil dieser Noten las und untadelig rein und taktfest sang. Und so ergab sich, woran vorher niemand gedacht hatte, daß Knecht so nebenher auch in der Musik weiter ausgebildet wurde, und daß an die Stunden der gelehrten Arbeit, welche nicht immer friedlich und angenehm waren, sich häufig Stunden des Musizierens anschlossen, bei welchen es selten zu Plagereien, oft aber zu hohen Festen und Genüssen kam.

Vorerst war die Hauptsache das Latein. Es mußte nicht bloß die Grammatik gelernt und das Übersetzen aus dem Latein ins Deutsche und umgekehrt bis zur flüssigen und fehlerlosen Geläufigkeit gebracht, es mußte auch lateinisch gesprochen, geschrieben, auf Lateinisch disputiert und lateinische Hexameter, Distichen und Oden gemacht werden – ein Endziel, das Knecht im ersten Jahre für ganz und gar unerreichbar hielt und das er am Ende doch erreichte. Mit dem Griechischen wurde erst um etwa zwei Jahre später begonnen, daneben gab es etwas Arithmetik. Ein Geruch der Gelehrsamkeit wehte gelegentlich auch in die Musik hinüber, zum Beispiel übertrugen die beiden eine Anzahl deutscher Kirchenlieder ins Lateinische und sangen sie von da an mit Vorliebe in dieser Gestalt.

Jeden Morgen war Knecht fünf Stunden in dieser Schule, am Nachmittag meistens zwei bis drei, die Musizierstunden natürlich nicht mitgerechnet. Der Lehrer besaß ein Cembalo, an das er bei guter Laune oft auch den Knaben ließ, und er verschaffte ihm leihweise eine Geige, deren Fingersatz er ihm beibrachte und auf welcher Knecht zu Hause so lange übte, bis er mit dem Meister zusammen Sonaten und Suiten spielen konnte. Der glühendste Wunsch des Knaben freilich, nämlich das Orgelspiel zu lernen, blieb noch jahrelang unerfüllt; für den Alten war die Orgel allzu mühsam geworden, der Junge war für sie noch zu klein, und an Zeit fehlte es ohnehin.

Es war ein harter, anstrengender, rücksichtslos strenger Unterricht, dem Knecht unterzogen ward, und ganz ohne Schaden mag es nicht abgegangen sein, wenigstens kam dem Knaben in kurzer Zeit viel von seiner Kindheit abhanden, und zugleich, so widersprechend es im Augenblicke klingt, ward ein gewisses Kindbleiben über das natürliche Alter hinaus durch diese Schulung in ihm begünstigt. Die einseitige Inanspruchnahme durch das Lernen nämlich trieb ihn einerseits vorzeitig aus der Freiheit, Unschuld und naturhaften Zwecklosigkeit der Kindheit aus, und hinderte ihn andrerseits, eine Menge von kleinen und großen Erfahrungen zu machen, die einem Kinde sonst sein Wissen um das Leben bereichert und es allmählich der Welterfahrung und dem Lebensgefühl des Erwachsenen annähern. Der Eintritt in die Studien bedeutete zugleich den Eintritt in eine durchaus männliche und alterslose Welt, in die der Gelehrsamkeit nämlich, und schloß zugleich den Adepten der Gelehrtenrepublik vom naiven Leben ab, wie man denn bei richtigen »Gelehrten« es häufig beobachten kann, daß sie als Knaben und Jünglinge einen charakteristischen Zug von altkluger Frühreife bekommen, die sich jedoch einzig auf dem Gebiet des bewußten Denkens, der Geistigkeit vollzieht und auswirkt, und daß dieselben geistig frühreifen, altklugen Leute dann später bis ins Greisenalter eine Weltfremdheit behalten, die sie oft wie Kinder erscheinen läßt. Auch Knecht entging diesem Schicksal nicht, aber es wurde ihm leichter gemacht als vielen seiner Zeitgenossen. Wir wissen von anderen, zum Beispiel von dem späteren Prälaten Oetinger, einem Mann, der durch Frömmigkeit, durch Gelehrsamkeit und durch echte Weisheit ausgezeichnet und der wenig

39

älter als Knecht war – wir wissen von ihm durch sein eigenes Zeugnis, daß er, noch ein kleiner Knabe, durch die furchtbare Strenge und Prügelgrausamkeit seines Lehres bis zu Verzweiflung und Gotteslästerung getrieben wurde. Jene Menschen waren nicht zart, und ertrugen viel. Knecht hatte es viel leichter als sein späterer Tübinger Stiftsrepetent Oetinger, und das war nicht bloß Folge des hohen Alters seines Präzeptors. Wir sind der Meinung, es sei hauptsächlich und recht eigentlich die Musik sein Schutzengel gewesen. Ihr ist eine Urkraft und ein tiefer Heilzauber eigen, mehr noch als die andern Künste vermag sie die Natur zu ersetzen. Vor dem Erstarren in Geistigkeit und Gelehrtentum wurde Knechts Seele durch die Musik bewahrt.

Außerdem hatte der alte Präzeptor Roos, selber durch sein Musikantentum vor den höhern Graden der Pedanterie bewahrt, es in langen Jahrzehnten gelernt, die starre Schuldisziplin durch kleine Ablenkungen und Spielereien zu unterbrechen und dem Schüler je und je etwas Abwechslung und Aufatmen zu gönnen, wenn seine Aufmerksamkeit am Erlahmen war. Er wäre für pädagogische Systeme, wie sie etwas später in Menge aufblühten, für ein Verbinden von Arbeit und Spiel, für individuelle und humanisierende Unterrichtsmethoden nicht zu haben gewesen, nein, er war ein Unteroffizier der Wissenschaft, kannte und liebte seinen Dienst, und hätte lieber den Schüler und sich selbst des Teufels werden lassen, als einen Schritt von seinem geistigen Exerzierreglement abzugehen. Sentimentalitäten kannte er nicht. Aber

er hatte dennoch in einem langen und harten Dienst
allmählich gelernt, daß Schüler verstockt und dumm
und schwachsinnig werden können, wenn man sie
Tag um Tag und Minute um Minute überanstrengt,
daß aber streng gehaltene Kinder für die kleinsten
Belohnungen, für eine geschenkte Viertelstunde im
rechten Augenblick, für eine winzige Abwechslung
erstaunlich dankbar sein können. Schon in den ersten
Wochen lernte Knecht eine seiner kleinen Praktiken
kennen. Er saß und schrieb Vokabeln mit einer Gänsefeder, und reichte, als die Feder ihm stumpf schien,
sie dem Gestrengen hin mit der Bitte, sie ihm nun
zu schneiden.

Er nahm dem Knaben die Feder ab, sie war schon
recht abgebraucht und dürftig, er griff zum Federmesser (»und auch das Schleifen eines solchen Messers
wirst du, volente deo, einst noch erlernen«), und so
hoffnungslos das Herumzittern seiner Greisenhand
mit dem kleinen scharfen Messer aussah, nach einer
verzitterten Minute hatte er angesetzt, und schnitt
dicht vor Knechts Augen die Federspitze ab, um ihm
dann zu zeigen, wie sie neu zu schneiden sei. Damit
begann ein neuer, manchmal peinlicher, manchmal
höchst reizvoller Unterrichtszweig, das Federnschneiden, das manche langweilig gewordene Lektion anregend unterbrach. Als einst bei einer dieser Übungen
der Schüler mehrere Male die Federspitze zugeschnitten, probiert, neugeschnitten, probiert und wieder
abgeschnitten hatte, weidete sich der Alte an Knechts
Bemühungen und erzählte ihm aufs eindringlichste
die Geschichte von Oknos, dem Seilflechter, dessen

Seil von der Eselin immer wieder abgenagt wird, eine Erzählung, deren sich Knecht noch im Alter oft erinnerte.

Auch bei häuslichen Arbeiten durfte Knecht manchmal mithelfen, was ihm jedesmal eine höchst erfreuliche Festlichkeit war. Zwar hielt, zu des Schülers Bedauern, der Alte streng darauf, daß seine verwitwete Tochter, die ihm haushielt, den Schüler nicht für tägliche Handreichungen in Küche und Garten, zu Einkäufen und Botengängen benutze; dies geschah also nur gelegentlich und hintenherum. Bei besonderen Anlässen aber, welche Kräfte und Verstand der Weiber übersteigen und die Mitarbeit des Hausvaters fordern, führte Roos das Regiment, ordnete an und kommandierte, und Knecht mußte der Frau nach Kräften helfen. So etwa wenn das Brennholz für den Winter angefahren wurde, oder das Obst eingetan und das Sauerkraut, oder der Birnenmost gekeltert oder dergleichen.

Der Tempel der Wissenschaften, in dessen Vorhof sich der Knabe dem schweren Adeptendienst unterzog, war immerhin ein Tempel. Er hatte den Schwung und das etwas zopfige Pathos des späten Barock, dieser Tempel, und war mehr von Verstandeslicht als von mystischer Dämmerung erfüllt. Religiöse Anstrengungen wurden dem Kinde nicht zugemutet, in dieser Hinsicht war der Präzeptor nicht überschwenglich; er gab der Kirche, was ihr gebührte, ging sonntags zur Predigt und ließ seinen Schüler Katechismus und Choräle lernen, im übrigen ließ er Gott regieren und schwärmte nicht eben für die Geistlichkeit. Was die

Seele an Erhebung brauchte und an Gegengewicht gegen die etwas farblose Kühle der Gelehrsamkeit, das gab ihm die Musik. Er hatte einst sogar selber Kantaten komponiert, und besaß zwei Truhen voll handgeschriebener Noten, meist Kirchenmusik, vom alten Palestrina bis zu den modernen Orgelkünstlern Moffat und Pachelbel. Mit einer gewissen Ehrfurcht nahm Knecht wahr, wie die älteren dieser Notenblätter, welche zum größten Teil der Präzeptor mit eigener Hand abgeschrieben hatte, schon die Bräune und Welke ganz alter Bücher an sich hatten. Übrigens waren auch einige sehr alte Hefte darunter, welche Knecht bei Gelegenheit mit Erläuterungen vorgezeigt bekam, liturgische Gesänge mit lateinischem Text, mit nur vier statt fünf Notenlinien und altertümlich steifen, rautenförmigen Notenzeichen. Der ganze Schatz stand zu seiner Verfügung, über jeden Sonntag nahm er das eine oder andre Blatt und Heft mit nach Hause und schrieb es sich sorgfältig ab; jeden Groschen, dessen er etwa habhaft wurde, gab er für Papier aus, das er erst mit den Notenlinien und dann mit seinen Abschriften von Chorälen, Tänzen, Arien, Madrigalen, Motetten, Kantaten, Sonaten, Passacaglien etc. beschrieb, frühe einen Schatz von Seelenbrot fürs ganze Leben sammelnd.

Wenn Knecht am Sonntag in der wunderbar noch durchatmeten Stille nach dem Verstummen der Orgel den Spezial Bilfinger auf der Kanzel erscheinen sah, dann wunderte er sich manchmal und erschrak darüber, wie sehr er tagelang sein Geheimnis habe vergessen können, und versäumte oft die halbe und ganze

Predigt mit neuem Nachsinnen darüber. Zum Spezial war er ja ebenfalls als Lateiner in ein neues Verhältnis getreten, er hatte die unterste Sprosse der Leiter bestiegen, auf deren obersten er den Verehrten stehen sah, denn zur Kanzel, zum Pfarramt, zur Priesterwürde war nun auch er selbst bestimmt. Dennoch empfand er sich dem ehrwürdigen Manne keineswegs näher gerückt, und daran war auch wieder das Geheimnis schuld. Er wußte: zum Priesterkleid und zur Kanzel führte ein Weg, ein edler und auch beschwerlicher, aber im Grunde geheimnisloser Weg; man brauchte nur lang und fleißig Latein zu lernen, und dann Griechisch und Hebräisch usw., dann gelangte man eines Tages dorthin. Aber wenn man damit nun auch den Titel und die Würde und vielleicht auch die Fähigkeit zum Predigen erreicht hatte, so fehlte doch noch das Heiligste und Wunderbare, so war man doch noch außerhalb des Geheimnisses, in das er einst einen verbotenen und beunruhigenden Zufallsblick getan hatte, und das nicht am Altar und auf der Kanzel seinen Ort hatte, sondern in Dachkammern, in Verborgenheiten und Einsamkeiten: der unmittelbare, kindliche Umgang mit Gott. Vom Hörensagen war es ihm wohl bekannt, daß alle Menschen, also auch die alten und ehrwürdigen, sich als Gottes Kinder betrachten dürfen und sollen, bekannt war ihm auch der Begriff der Heiligung und der Gemeinschaft der Heiligen, zu welchen er den Spezial von Herzen zählte, ja auch Knechts eigene Mutter hatte wohl einen Hauch und Schimmer von dieser Heiligung, er selbst aber wußte sich davon himmelweit entfernt, weiter als ein kleiner Lateinschüler von einem Spezial entfernt ist.

Inzwischen nahm das Latein seine Tage und sein Gedächtnis in Anspruch, und ließ ihn selten zum Grübeln kommen. Und wenn er seine Übungsstücke übersetzt, seine Vokabeln und Konjugationen gelernt hatte, welchen er einen abgesonderten, respektierten und beinah geheiligten Platz am väterlichen Tisch verdankte, dann sank er sanft in die alte heimatliche Welt zurück, der ihn die Schule entfremdet hatte, spielte mit der kleinen Benigna, hörte beim gemeinsamen Singen mit Rührung die schöne, reine, in der Tiefe noch strahlende Stimme des Vaters, half gern der Mutter beim Aufräumen oder sah ihr zu, wenn sie den Nähkorb vor sich hatte und unermüdlich Kleider, Socken, Hemden flickte. Daß er mit seiner vielstündigen täglichen Abwesenheit, mit seinem Schreiben und Lernen am abgeräumten Tisch in respektierter Stille, mit seinem Verweilen in anderen, dem Vaterhaus fremden Gedanken und Studien, seinem Abgezogensein und Erfülltsein dem Hause irgendwie entglitt, ihm untreu wurde und Unrecht antat, wußte zwar eine verborgene Instanz in seinem eigenen Innern recht wohl, viel deutlicher aber und unmittelbarer wurde es ihm von außen gezeigt, nämlich von seinem Schwesterchen. Diese fühlte sich, seit Knecht Tag um Tag zum Präzeptor ging, spät zurückkam und dann am Tisch mit seinem Schreibkram sich festklebte und dabei nicht gestört werden durfte, ihres Bruders beraubt und von ihm verraten, sie ergriff unverblümt und heftig Partei, sie haßte den

Präzeptor, haßte das Latein, haßte die Bücher und die Schreiberei, das ewige Stillsein- und Wartenmüssen, bis der Herr Bruder endlich fertig und wieder zu sprechen war. Sie empörte sich gegen die Tyrannei des Lateins, das sie mehrmals in kleinen kräftigen Racheakten sabotierte; einmal versteckte sie tagelang ihres Bruders Grammatik, einmal zündete sie das Herdfeuer mit einem seiner Schulhefte an, einmal schmiß sie sein Tintenfaß von der Laube des Hauses in die Schlucht hinab. Und wenn Knecht mit seinen Arbeiten fertig war und die Schwester rufen wollte, um mit ihr zu spielen oder mit ihr dem Vater entgegenzulaufen, dann war sie entweder nicht zu finden oder war so gekränkt, verschlossen und verhärtet, daß der Bruder lange schmeicheln, schöntun und werben mußte, bis sie gewonnen war und den Trotz aufgab. Sie liebte ihn und kämpfte um ihn, und war schließlich, wenn er lieb zu ihr war, immer wieder zu schmelzen. Mehr und mehr aber verhärtete sie sich gegen die Mutter, die sie an allem schuldig zu wissen glaubte, und je strenger die Mutter gegen sie wurde, und je mehr die Mutter ihre Vorliebe für das Geistliche und für die Studien und all das betonte und durchsetzte, desto mehr entzog und verschloß sie sich ihr und hielt zum Vater und zu seiner wärmeren, einfacheren, natürlicheren Welt, zum Waldlaufen, Flöte blasen, zu den Tänzen und Volksliedern. Sie war es, das Kind mit dem rotblonden unbändigen Haar, die es durchzusetzen verstand, daß im häuslichen Gesang neben den Chorälen auch wieder die Volkslieder und weltlichen Arien zu Ehren kamen.

Immer wieder stimmte sie sie an, und wenn die Mutter sagte, sie alle sängen lieber Choräle, dann sagte sie etwa: »Du bist es, die am liebsten Choräle singt, du allein! Der Vater singt lieber die andern Lieder, das weiß ich genau, und der Bruder mag sie auch gern, und wenn wir sie nicht singen sollen, dann singe ich auch die Choräle nicht.« Und in der Tat, sie sang solange nicht mehr mit, bis die geistliche Tradition durchbrochen war und im Hause Knecht auch wieder weltliche Lieder gesungen wurden. Sie hatte viel Kraft und Eigensinn, sie war nicht sanft und nachgiebig wie der Vater und der Bruder, sie war voll Willen wie die Mutter, aber anderen Willens als sie. Die Mutter war zu klug und war zu fromm, um nicht dem Kampf immer wieder die Spitze abzubrechen, aber es war ein Kampf, und wenn trotzdem vorerst nichts Unliebes geschah und es immer wieder zum Frieden kam, so war der Schutzengel des Hausfriedens der Gesang, die Musik. Die Mutter gab nach, der Vater vermittelte, man nahm die nicht übertrieben weltlichen und lustigen Volkslieder wieder mit auf, man stritt und man zürnte einander, aber man sang, und oft spielte Knecht auch noch die Geige dazu. Daß er so gern mit ihr sang und ihr immer neue Noten mitbrachte, daß er sie die Notenschrift lehrte und ihr auf ihre Bitten auch das Spielen auf der kleinen Flöte beibrachte, war sein Gegengeschenk für die Liebe und Eifersucht der Kleinen, und der Musik wegen versöhnte sie sich nach und nach mit den Studien des Bruders und dem Präzeptor.

So wuchs Knecht heran, und was einst unausdenklich

schwierig und gefürchtet vor ihm gelegen, das war unversehens überwunden und vergangen, schon sprach er ganz artig Latein und las den Cicero geläufig, schon hatte er mit dem Griechischen begonnen, und nebenher viele Hefte voll Noten abgeschrieben, auch das Federnschneiden ging jetzt leidlich, und es kam der Tag, an dem ihn der alte Roos entließ. Der gelehrte Greis war über den Abschied von seinem Schüler, mit dem er einige Jahre seine Studierstube geteilt hatte und der vermutlich sein letzter war, so gerührt, daß er sich, um dies zu verbergen, in der letzten Stunde ganz außergewöhnlich grob und rauh benahm. Sie standen am Schreibtisch, und Roos hielt dem Knaben eine Schlußpredigt, und wollte ihm eigentlich lauter Liebes und Freundliches sagen, er hatte ihn von Herzen gern, aber die Rührung und Abschiedsbangigkeit saß ihm wie eine Kugel im Halse, er konnte sie nur durch tapfere Grobheit besiegen. »Mit dem Latein geht es ja seit einem Jahr ganz leidlich, nun ja, was ahnt so ein grünes Bürschchen von den Mühen, die es den Lehrer gekostet hat! Und am Griechischen wirst du noch hart zu beißen haben, Männlein, der Präzeptor Bengel wird sich ja wundern, was für zweite Aoriste du manchmal erfindest! Nun ja, wie gesagt, es ist jetzt zu spät, dir Vorwürfe zu machen; du läufst mir jetzt fort, Springinsfeld, und meinst, die Hauptsache sei getan, aber es werden andre noch schwer an dir hobeln müssen, bis du dich sehen lassen darfst. Verdient hast du es eigentlich nicht, aber ein Abschiedsgeschenk will ich dir doch geben. Da!« Damit griff er einen Notenband, der zu diesem Zweck bereit lag und eine Sammlung älterer französischer Chansons enthielt, und knallte ihn derb auf den Tisch. Und als Knecht, dem Weinen nahe, seine Hand ergreifen wollte, um sich für die kostbare Gabe zu bedanken, ging er nicht darauf ein, sondern setzte nochmals an: »Ach, zu bedanken ist da nichts, was braucht ein alter Mann noch so viel Noten? Dein Dank soll darin bestehen, daß du was Rechtes lernst und wirst und mir keine Schande machst, basta. Die Chansons sind nicht schlecht, diese Leute haben noch etwas von den Stimmen verstanden. Übrigens, damit du der Musica nicht untreu wirst, habe ich dir auch noch zwei Orgelstücke zugedacht, neuere Sachen, von einem Mann namens Buxtehude, den hierzuland niemand kennt, der aber schreiben kann und Einfälle hat.« Und wieder schmiß er einen Notenband auf den Tisch, und als er sah, daß Knecht zu heulen begann, hieb er ihm schwer auf die Schulter und schrie: »Vade, festina, apage, man heult nicht!« Damit schob er ihn zur Tür hinaus, die er zuschmetterte, um sie dann gleich wieder zu öffnen und hinauszurufen: »Es ist ja nicht für immer, weichlicher Knabe. Wir sehen uns doch wieder, Kind. In den Ferien kommst du wieder zu mir zum Musizieren. Du bist auf dem Cembalo noch keineswegs so exzellent, wie du vielleicht glaubst. Üben, Kind, üben!« Und nun schloß er die Tür endgültig.

Es waren wieder Ferien, es war wieder ein Abschnitt erreicht, Knecht sollte in eine der Klosterschulen aufgenommen werden, in denen die schwäbischen Theologen für die Universität vorbereitet wurden. Wieder spürte er, wie die Mutter stolz auf ihn war, während der Vater wenig sagte und Benigna die bevorstehende Trennung im voraus empfand und verfluchte; sie war ziemlich groß geworden und trug Zöpfe, und zu ihrem Bruder, mit dem sie in dieser Ferienzeit viel musizierte, sagte sie einmal: »Vielleicht wirst du jetzt wirklich ein Pfaff, ich habe bisher noch immer nicht recht dran geglaubt.«

»Sage doch nicht immer Pfaff«, schalt Knecht. »Was haben dir denn die Pfarrer getan, daß du so bös auf sie bist? Unser Großvater war doch auch einer.«

»Ja, und darauf ist die Mutter heut noch stolz und spielt die Feine und kommt sich besser vor, und ißt doch das Brot, das unser Vater mit seiner Arbeit verdient!«

Böse blitzten ihre blaugrünen Augen. Er erschrak, so voll Haß war der Ton, in dem sie von der Mutter sprach.

»Um Gotteswillen, so darf man nicht sprechen!« rief er flehend. Sie stand und sah ihn funkelnd an, bereit offenbar zu noch stärkeren Schmähreden. Aber plötzlich wandte sie sich, begann auf einem Fuß zu hüpfen, dem Bruder »Rübchen zu schaben«, und sang, ihn umtanzend, nach einer Choralmelodie ein paarmal die Worte: »Pfaff, Pfaff, Pfaff. Bist ein armer Aff«, und lief weg.

Es waren wieder Ferien, es war vieles wieder ähnlich wie damals, ehe die Lehrzeit beim alten Roos begonnen hatte, und auch diesmal bekam Knecht beim Schneider Schlatterer eine neue Gewandung gemacht, aber diesmal war es nicht ein Hirschlederhöschen, diesmal war es ein schwarzer Seminaristen-Anzug. Als er ihn unter Aufsicht der Mutter anprobierte, und an sich niederblickte, kam er sich fremd und feierlich vor, und es störte, ja ärgerte ihn, daß die Mutter ihre Freude an diesem neuen schwarzen Kleid so deutlich merken ließ, der Pfaffenvers der Schwester fiel ihm ein, er dachte des Vaters und der Zeit, da er im Wald mit ihm gesungen hatte, es war eine verhexte und ungute Stunde, alles Holde und Liebe schien fern und vergangen, und alles Kommende sah fremd und schwarz und feierlich aus, würdig von Benigna mit herausgestreckter Zunge verhöhnt zu werden. Es waren bloß Augenblicke, es war bloß eine Anwandlung, und schon war auch der Ausdruck im Gesicht der Mutter, dieser etwas triumphierende und fatale Ausdruck, wieder verschwunden, freundlich blickte sie ihn an und sagte: »Wenn du wieder ein neues Kleid bekommst, Lieber, dann ist es vielleicht schon für Tübingen.«

Es war vieles wie einst, es waren wieder Ferien, aber einst hatte es anders geduftet, anders geklungen, anders geschmeckt; das von damals kam nicht wieder. Der Vater war kein Zauberer, Wasserkünstler und magischer Musikant aus den Wäldern mehr, die Schwester war kein kleines dummsanftes Kind mehr, sogar die Mutter mit ihrem Stolz auf Knechts schwarzen Anzug und ihrem ungenügenden Latein hatte irgend etwas verloren, es war die ganze Welt profaner und zugleich schwieriger geworden. Nur der Wert und Zauber der Musik war geblieben und war noch gewachsen, aber langsam wurde auch sie, die das

ganze Haus Knecht so lang und stark zusammenge-
halten hatte, in die Schwierigkeit und Problematik
mit hereingezogen. Vater und Mutter vermochten die
Welt der Musik, die für Knecht von Jahr zu Jahr
größer und vielfältiger wurde, nicht mehr ganz auf-
zufassen, dem Vater war sie eine Naturgabe und ein
Naturbedürfnis, er war zu jeder Stunde zum Hören
oder Mitspielen aufgelegt; aber das Lesen und Studieren geschriebener Musik, komplizierter Partitu-
ren, vielstimmiger Chöre aus alter Zeit oder moder-
ner Orgelstücke, wie sein Sohn es betrieb, war ihm
etwas Fremdes, Übertriebenes und Papierenes, es gehörte offenbar zum Griechischen und Lateinischen,
ihn ging es nichts an, mochte die Mutter da mittun!
Aber auch die Mutter tat nicht richtig mit, in ihr war
das Geistliche stärker als das Musikalische, und sie
begann manchmal zu fürchten, es möchte nicht nur
bei ihrer Tochter, sondern auch bei ihrem Sohne umgekehrt stehen. Und dies hätte sie keineswegs billigen
können. Musik war schön, man konnte wohl seine
Freude an einem guten mehrstimmigen Gesang haben, aber schließlich kam es doch nicht so sehr darauf
an, daß man singe, als *was* man singe. Wenn man
nicht mehr zur Erbauung und zu Gottes Preis und
Ehre sang, wenn man Musik um ihrer selbst willen
trieb, um damit zu glänzen oder um in Gefühlen zu
schwelgen, dann war das Mißbrauch einer Gottes-
gabe und war eine Verrückung und Vertauschung der
Werte und Wirklichkeiten. Musik, die nicht mehr
Gottesdienst sein wollte, hatte keinen Wert und
konnte nur die Seele berauschen und verderben, sie

war der Gelehrsamkeit gleichzustellen, die sich an sich selbst entzückt und nicht mehr im Dienst Gottes und seines Wortes stehen, sondern selbstherrlich die Welt erklären will. Darüber wußte sie aus den Gesprächen von Theologen Bescheid. Zwar zweifelte sie nicht an ihres Sohnes Frömmigkeit und Gottesfurcht, dazu hatte er niemals Anlaß gegeben. Aber bei der kleinen Benigna glaubte sie es zu sehen, wohin die weltlichen Gaben einer schönen Stimme und eines guten Musikverstandes führten, wenn sie nicht in einem höhern Dienste standen, der sie heiligte. War auch der Sohn sehr viel lenksamer und ehrfürchtiger als die Tochter, sie hatten doch beide viel von ihrem Vater in sich, es war ja bedenklich, wie leidenschaftlich Benigna ihren Vater anbetete und seine Partei nahm und wie sie auch den Bruder von der Mutter wegzuziehen bestrebt war.

Was nun Knechts Frömmigkeit betraf, so hätte sich ihretwegen seine Mutter nicht zu sorgen brauchen; er stand gerade im Beginn der eigentlich »frommen« Periode seines Lebens. Freilich war es ihm nicht gegeben, seine Gesinnung durch kräftige Zeichen und Gebärden zu äußern: jene Frommen, denen die Demut oder Heilandsliebe oder Bekehrungsgabe schon gleich aus Blick, Gang, Gruß und Haltung anzumerken war, waren ihm zeitlebens teils bewundernswert, teils auch fatal.

Mit seiner Aufnahme in die Klosterschule fing für ihn in mancher Hinsicht ein andres Leben an, obwohl nach wie vor das Latein und jetzt noch mehr Griechisch seinen Tag, oft bis in die Träume hinein, beherrschte. Es wurde hier kaum minder streng gelernt als beim Präzeptor Roos, doch hatte alles ein etwas andres Gesicht, und Knecht saß nicht mehr allein in enger Stube seinem Lehrer gegenüber, sondern war hier einer von vielen, drei Dutzend Kameraden lebten, lernten, spielten mit ihm. Diese Jünglinge stellten, wenigstens was die Gottesgelehrsamkeit betraf, die Blüte und Hoffnung des Herzogtums dar, sie waren die ausgesiebten Besten aus den paar Lateinschulen des Landes, oder waren Söhne gelehrter Pfarrer und von früh an von den eigenen Vätern unterrichtet und vorbereitet worden.

Schwarz gekleidet waren diese wohldressierten Lateiner alle, und ein Rest und Duft von Mönchtum hing noch immer in diesen Klosterschulen, obwohl sie seit mehr als hundertfünfzig Jahren keine Klöster und nicht von katholischen Orden mehr besessen und besiedelt, sondern den Papisten abgenommen und zu Pflegestätten der reinen Lehre und lutherischen Gelehrsamkeit gemacht worden waren. Gute dreihundert Jahre lang haben diese »Klöster« Schwabens als eine Art protestantischer Priesterseminare dem Lande seine Pfarrer und eine ganze Menge von klugen, gelehrten, berühmten Männern geliefert, während die zu den Klöstern gehörenden Wälder, Felder, Mühlen und Rechte dem Lande jährlich eine Summe einbrachten, die wohl etwa ein Drittel der gesamten Einnahmen der Landeskasse betrug und vor allem für die Erhaltung der Kirchen, die Erziehung und Besoldung der Pfarrer bestimmt war und im großen ganzen auch in diesem Sinn verwendet wurde; immerhin kam es gelegentlich vor, daß einer der von Gott gesetzten und vom Volk geliebten Herzöge allzu geldbedürftig wurde und die ganze Kasse plünderte, ohne zu fragen was für die reine Lehre und ihre Pflege übrig bliebe.

In eines dieser »Klöster« nun, in das von Denkendorf, trat Knecht ein, nachdem er mit bangem Herzen und nicht ohne Tränen zum erstenmal vom Vaterhause Abschied hatte nehmen und in die Fremde ziehen müssen. Er traf in Denkendorf, was er in jeder der andern Klosterschulen auch getroffen hätte: eine strenge Internatszucht, anregende Kameraden, einen gediegenen Unterricht in Griechisch, Hebräisch und Französisch, außerdem aber noch etwas mehr, etwas Seltenes: einen begnadeten und außerordentlichen Mann als Lehrer. Dieser hieß Johann Albrecht Bengel und war zugleich Klosterpräzeptor und Prediger in Denkendorf. Als Knecht sein Schüler wurde, war Bengel noch nicht alt, doch als Lehrer schon berühmt, und wußte, obwohl ein großer Philologe, allen Berufungen und Beförderungen in seiner stillen Bescheidenheit sich zu entziehen, er blieb beinah dreißig Jahre Präzeptor in Denkendorf und rückte erst dann ohne sein Zutun rasch in die höchsten Ämter und Würden. Aber auch als kleiner Präzeptor übte er während einer Generation einen stillen aber tiefen Einfluß, und nicht nur auf seine jeweiligen Schüler, deren vielen er zeitlebens als Lehrer, Beichtvater und Tröster beistand, sondern auch bis ins Ausland drang sein Ruf als großer Gelehrter und unbestechlicher Verwalter des Wortes.

Als er das erstemal mit Knecht ins Gespräch kam, fragte er ihn: »Was ist dein Vater?« »Brunnenmacher«, sagte Knecht. Bengel sah ihm prüfend ins Gesicht und sagte dann leise, in seiner bedächtigen Art die Worte suchend und wählend: »Werde du, was dein Vater ist, werde ein guter Brunnenmacher! Ich meine es im Geistigen und bemühe mich selber, einer zu sein. Das Wort Gottes und die Lutherische Lehre sind die Brunnenstube, aus der unser Volk sein Lebenswasser bekommt. Diese Brunnenstube rein zu halten, das ist eine stille Arbeit, auf die niemand achtet und die nicht von sich reden macht, aber sie ist heilig und wichtig wie wenig andre.« In den kargen Stunden, die ihm seine beiden Ämter frei ließen, arbeitete Bengel in vieljähriger Treue und Geduld an einer Ausgabe des Neuen Testamentes im Urtext, sorgfältig die reinsten, ältesten, verläßlichsten Quellen erspürend, Wort um Wort beklopfend in gewissenhafter philologischer Kleinarbeit, und es fehlte unter seinen frommen Freunden nicht an solchen, welchen es schade und sündliche Vergeudung schien, daß auf eine so knifflige und im Grund entbehrliche Gelehrtenarbeit ein berufener Seelsorger und Lehrer seine kostbaren Tage und Jahre verwende, er aber ließ sich nicht beirren, und daß er sich dies »Reinhalten der Brunnenstube« zur freiwilligen Arbeit wählte, ist bezeichnend für ihn. Die Kirche, welcher er angehörte und diente, kannte keine Heiligsprechung, unter ihren heimlichen Heiligen aber steht Bengel obenan.

Wenn dieser Lehrer mit seinem stillen knochigen Ge-

sicht und den guten Augen frühmorgens zum Morgengebet und der ersten Lektion vor seine Schüler
trat, dann hatte er nicht nur zuvor einige Nachtstunden über seinen Bibeltexten und seiner großen, teils
gelehrten teils seelsorgerlichen Korrespondenz gesessen, er hatte auch schon in seiner Schlafstube den Tag
mit einer Selbstprüfung und einem Gebet um Ausdauer, Geduld und Weisheit begonnen, und brachte
eine stille Wachheit und Nüchternheit mit, aber auch
eine sanft ausstrahlende Heiligung und Weihe, deren
Wirkung nur wenige Schüler verschlossen blieben. In
seiner Landeskirche, die gleich allen andern lutherischen Kirchen zu einer etwas pharisäischen Orthodoxie und einem gewissen Kastendünkel der Priester
erstarrt war, gehörte er zu den ersten Jüngern und
Vorbildern jener neuen Art von Christlichkeit, die
man Pietismus nannte. Auch diese kraftvoll quellende
Bewegung ist, wie jede, später im Lauf von Generationen teils erlahmt, teils ausgeartet. Damals aber
war ihr blühender Frühling, und etwas von seiner
Frische und Zartheit schwang in der Ausstrahlung
dieses Mannes, dessen Natur viel mehr zur Klarheit,
Besonnenheit und Ordnung als zu Empfindsamkeit
und Schwärmerei neigte.
Zwischen dem Unterricht bei Präzeptor Roos und
dem bei Bengel war in der Methode kein großer oder
gar kein Unterschied, hier aber war Lernen und Gelehrsamkeit nicht Selbstzweck mehr, sondern ganz
und gar auf ein Ziel gerichtet, auf das höchste, den
Gottesdienst. Die alten Sprachen hatten wohl ihre
profanen Autoren und ihre humanistischen Reize,

und Bengel selbst sprach gern und gewandt sowohl Latein wie Griechisch, aber in ihm, dem großen Philologen, strebte alle Philologie ins Theologische, war Einführung in Gottes Wort und Erziehung zur treuesten Ehrfurcht vor diesem Wort. Und wenn ein Schüler zuzeiten nicht vorwärts kam, so wurde er nicht nur zum fleißigen Lernen, sondern ebenso sehr zum Beten ermahnt und wo es nötig schien, nahm der Klosterpräzeptor den Jüngling zu sich und betete selbst mit ihm. Sein Ernst und seine Bescheidenheit, sein vollkommener Mangel an Lehrerhochmut ließen es zu, daß er ohne Einbuße an Autorität sich gelegentlich vor den Schülern weit herablassen, ja demütigen konnte. Einmal sagte er zu einem seiner früheren Schüler, er betrachte jeden seiner Klosterschüler mit Hochachtung und sehe in ihm etwas Edleres und Besseres als er selbst sei, denn angesichts dieser jungen Angesichter empfinde er oft mit tiefem Schmerz, wie rein und unbeladen diese Seelen noch seien, während er selbst an sich und seinem Leben schon so viel vergeudet, verpfuscht und verdorben habe.

Auch in diesen zwei Denkendorfer Jahren wurde Knecht der Musik nicht untreu, er übte das Violinspiel weiter und warb gemeinsam mit einem begeisterten Kameraden unter den Mitschülern, bis sie ein doppelt besetztes Sängerquartett beisammen hatten. Aber wichtiger als dies und als die Studien war der Eindruck, den Bengels Wesen auf ihn machte. Dieser Verehrungswürdige, so wollte ihm scheinen, war im Besitz und Genuß der wahren Kindschaft Gottes, das Gottvertrauen strahlte wie ein sanftes frohes Licht aus ihm. Mehrere Schüler, welche diesen Lehrer besonders liebten, beschlossen untereinander, von nun an denselben Weg zu gehen, sich in Gebet und Selbstprüfung jeden Tag zu reinigen und zu Gefäßen der Gnade zu machen. Zu ihnen gehörte Knecht, sie lasen Arnds Buch vom Christentum, schrieben Bengels sonntägliche Predigten nach und sprachen sie mit einander durch, beichteten einander Vergehungen, Versäumnisse und böse Gedanken, und gelobten sich der Nachfolge des Gekreuzigten. Es galt unter ihnen als bekannt und selbstverständlich, daß die Bekehrung eines Menschen und das Erlösungswerk an ihm damit beginnen müsse, daß er seiner Sündhaftigkeit in Zerknirschung bewußt werde. Waren nun auch die Sünden dieser Jünglinge, etwa diejenigen Knechts, von sehr bescheidenen Maßen, so galt es doch, auch diese bedingte und verhältnismäßig bescheidne Sündhaftigkeit als Urschuld und Erblast einzusehen, sich ob ihr zu entsetzen, die allgemeine Verworfenheit, Selbstsucht und Herzensträgheit des Menschen im eigenen Herzen vorzufinden, und aus der Seelennot dieses Verhängnisses kindlich sich dem Wunder zu übergeben, daß Jesus für eben diese unsre Sündhaftigkeit sich geopfert und jedem, der dies Opfer gläubig annahm, den Weg zum Herzen Gottes geöffnet hatte.

Oft beunruhigte es Knecht, daß das Gefühl seiner Sündhaftigkeit ihn nicht so stark und dauernd durchdrang wie er es von anderen erzählen hörte. Manchmal spürte er Müdigkeit und Erlahmen, manchmal schien es ihm unnütz und übertrieben, sich so zu plagen, und er billigte heimlich manchen der Späße, welche die anderen Schüler über ihre frommgewordenen Kameraden machten. Aber dieses Zurücksinken und Erlahmen des Gefühls, diese Rückfälle in Trägheit und Schlendrian, dies Liebäugeln mit den Gelüsten und Gewohnheiten des alten Adam wurden alsbald als wohlbekannte Versuchungen und Fallstricke erkannt und bekämpft. Sogar seine Liebe zur Musik und seine Violin-Übestunden waren ihm zuzeiten verdächtig, doch brachte er es nicht über sich auf sie zu verzichten. In allem andern war er sehr streng gegen sich. Es ging ja ums Ganze, es ging um eine völlige Verwandlung und Veredlung seines Lebens, es galt ins Zentrum zu dringen und nicht mehr sein eigen zu sein und sein eignes Leben zu führen, sondern nur noch Instrument Gottes zu sein. Zu werden wie die Apostel gewesen waren, zu werden wie der Präzeptor Bengel war, das war jedes Opfers und Heldentums wert. Bibel, Katechismus, Gesangbuch, Arnds und Arnolds Bücher wurden erforscht, und auch aus den Autoren des heidnischen Altertums wurden Methoden der Selbsterziehung geschöpft, man studierte Ciceros Buch: »De officiis« und lernte die Lebensregeln des Isokrates auswendig, obwohl dessen schönes Griechisch eigentlich eines tieferen Weisen würdig gewesen wäre; den Plato lernte man erst später ein wenig kennen. Dagegen war ein Hörensagen und Schimmer von der damals modernen Weltweisheit bis ins Kloster gedrungen, im Lager der Unfrommen und Weltlichen kannte man schon den Namen Leibniz, und ahnte triumphierend das Heraufdämmern eines neuen, strahlenden Geistes; um sich auf ihn vorzubereiten, übten sich einzelne Strebsame über das Vorgeschriebene hinaus in Algebra und Planimetrie. Zu diesen weltlich, aber keineswegs geistfeindlich Gesinnten gehörten die paar besten Schüler des Jahrgangs, sie fühlten sich als geistige Aristokratie, taten sehr vornehm und hatten gegen die »Frommen« und ihren Abgott Bengel unter vielem andern namentlich das einzuwenden, daß diese Frömmigkeit eine Flucht der Minderbegabten aus den Studien in die Moral und Religion sei. Denn in der Tat hatte Bengel mehrmals geäußert, es sei für einen künftigen Theologen mit Begabung und Fleiß allein nicht getan, und ein Mangel an Verstandeskraft oder Gedächtnis könne recht wohl durch ein Plus an Gottesliebe und Gebetsstärke ersetzt werden. Dies bestritten die Unfrommen eifrigst und machten viele Witze über die Armen im Geist, welchen zwar kein eleganter griechischer Periodus gelinge und die Mathematik als teuflische Zauberkunst verhaßt sei, die dafür aber Schwielen an den Knien hätten vom vielen Beten im Kämmerlein. Übrigens muß gesagt werden, daß in jener Generation es durchaus nicht nur die Unfrommen waren, welche nach hohen geistigen Leistungen strebten, und daß dem schwäbischen Pietismus in seinen Anfängen die Phobie der Schwachbegabten vor hohen und strengen geistigen Disziplinen nicht nachgesagt werden darf. So sehr diese neue Art von Frömmigkeit eine Sache des Gefühls und Herzens war, und so tief und fruchtbar sie ins Volk drang, so wenig haben die schwäbischen Führer und Vorbilder dieser Frömmigkeit in jener ersten Zeit des Pietismus die Wissenschaften gemieden, manche von ihnen waren Mathematiker und Logiker von hohen Graden, und die spätern Bekämpfer der Lehre waren fast alle zuerst ihre Schüler, und keine schlechten Schüler.

In den Ferienzeiten kehrte Knecht ins Elternhaus zurück, fand die Mutter voll Teilnahme für alle seine Anliegen und Interessen, den Vater liebevoll schweigsam, die Schwester etwas zurückhaltend und dem gelehrten Bruder entfremdet, aber stets zum Musizieren bereit. Er brachte sie jetzt auch des öftern zum alten Roos mit, sie lernte Cembalo, und Roos war ihres Lobes voll. Dagegen wurde mit Roos über die frommen Angelegenheiten nicht gesprochen. Statt dessen kam es zu mehreren Feriengesprächen mit dem Spezial Bilfinger, der den Klosterschüler bei jeder Begegnung freundlich ermunterte, ihn zu besuchen. Obwohl längst nicht so alt wie Roos, war der Spezial etwas hinfällig geworden, er wurde im Amte von einem Gehilfen vertreten, hatte ganz weißes Haar und einen vorsichtigen Gang bekommen. Er ließ sich von Knecht aus dem griechischen Neuen Testament vorlesen, sprach mit ihm über das Gelesene, ließ sich von Bengel erzählen und gab Grüße an ihn mit. Einmal, am Ende der Ferien, empfing der Spezial seinen Besuch im Bett, er war unwohl, und vor dem Abschied betete er mit dem Jüngling und segnete ihn. »Wenn du dich in Denkendorf einmal an mich erinnerst«, sagte er abschiednehmend, »dann schließe mich in dein Abendgebet, wie auch ich im Gebet deiner gedenken will. Ich bin ein alter kranker Mann und du bist ein junger rüstiger Student, aber vor Gott sind wir beide arme Sünder, und er sieht es gerne, daß einer von uns ihn für ihn bitte. Ich bitte ihn für dich, daß er dich wachsen und fortschreiten lasse und zu einem braven minister verbi divini mache, und du sollst ihn für mich bitten, daß er dem alten Mann seine Versäumnisse nicht anrechne und ihm helfe, einen tapferen Tod zu sterben.«

Als Knecht wieder in die Heimat kam, war der Spezial noch am Leben, konnte aber keinen Besuch mehr empfangen, und starb bald darauf. Knecht hatte seine Mahnung und Bitte nicht vergessen, und so oft er seiner dachte, fiel das Geheimnis seiner Kinderzeit ihm ein als der erste Ruf, der an ihn ergangen war und sein Herz dem Göttlichen geöffnet hatte. Orgelklang, Choralgesang, sonntägliche Predigt und träumerisches Starren in die lebendige Mathematik und stumme Musik des gotischen Kirchengewölbes waren vorangegangen, Unterweisung und Erzählungen der Mutter, Lesen im Gesangbuch, dann war das Geheimnis dazu gekommen, der Anblick des betenden Mannes in der Kammer, doch niemals waren die beiden Welten zusammen gekommen und eins geworden: die feierliche, amtliche, allen gemeinsame Welt der Kirchenchristlichkeit und die verborgene, tiefere, geheimnisvollere Christlichkeit des Betens in der Kammer. In den Denkendorfer Jahren näherten sie sich einander, in Bengels Gestalt schienen sie vereinigt, in seiner Schule und Nachfolge würde es vielleicht auch Knecht gelingen, ein Priester und zugleich ein Kind Gottes, ein Gelehrter und zugleich ein Einfältiger zu werden. Echte Gelehrsamkeit, hatte Bengel kürzlich gesagt, sei Dienst am Wort Gottes, und sei zuinnerst ein beständiges Lobpreisen Gottes.

Bengel nahm beinahe jeden Tag irgendeinen seiner Schüler allein zu sich, für ein paar Augenblicke, für eine halbe oder ganze Stunde, je nachdem. Auch Knecht war oft bei ihm, zu einem Gang unter den Bäumen oder einem Gespräch in Bengels Studierstube. Manche dieser Gespräche wurden lateinisch geführt, nicht die seelsorgerlichen, aber die gelehrten und allgemein moralischen. Dabei wurde der schüchterne Knecht nur selten mitteilsam. Einmal aber faßte er sich ein Herz und erzählte dem Lehrer von seiner Liebe zur Musik, und gestand, daß er, wenn er die Möglichkeit dazu gehabt hätte, statt eines Theologen noch lieber einen recht guten Organisten und Cembalisten aus sich möchte gemacht haben. Und er fragte, ob diese Liebe zur Musik denn sündhaft sei. Darüber tröstete ihn Bengel und meinte, die Musik sei nicht sündhafter als jede andre Kunst, sie könne gleich der Wissenschaft zu Selbstgenuß und Eitelkeit führen, aber sie sei dem, der die Begabung zu ihr besitze, von Gott gegeben, um ihn mit ihr zu preisen und ihm zu danken. »Ich bin kein Musikus«, sagte er, »du hast da eine edle Gabe vor mir voraus, für die sollst du dankbar sein und sie keineswegs vernachlässigen. Aber ich rate dir, halte es mit dem Musizieren ebenso wie ich es mit dem Bücherschreiben halte. Auch das Bücherschreiben ist eine Kunst, und für viele ist es eine Leidenschaft, es ist schon mancher berühmte Bücherschreiber von seiner Leidenschaft überwältigt und in die Hölle geritten worden. Wenn ich an einem Buch arbeite, und es überkommt mich die Lust, es damit auf Gewinn oder Berühmtheit und auf das Lob der Gelehrten abzusehen, dann gibt es einen Gedanken, der mich wieder zurechtweist. Es ist der Gedanke: ein Büchermacher sollte kein einziges Wort schreiben, das er in der Stunde seines Todes bereuen müßte. So magst auch du, wenn die Musik dich berauschen will, dir vornehmen, niemals auf eine Art zu musizieren, die du in jener letzten Stunde bereuen müßtest. Wir sollen, Künstler wie Gelehrte, Werkzeuge zum Lobe Gottes sein; solang wir das sind, ist unsre Kunst von Ihm geheiligt und Ihm wohlgefällig.« Da tat Knecht noch eine weitere Frage, indem er versuchte von jenem Gegensatz der beiden Religionen und Frömmigkeiten zu sprechen, der offiziellen und der privaten, der kirchlichen und der persönlichen, der Anrufung von der Kanzel und des Gebets im Kämmerlein.

»In der Tat«, sagte der Lehrer, langsam die Worte zurechtlegend, »ist da ein großer Unterschied, und du wirst in den nächsten Jahren sehen, dilecte fili, daß auf diesem Unterschied die Notwendigkeit und Wichtigkeit der Theologie beruht. Diese ist Dienst am Wort, und auf das Wort kommt es in der Theologie vor allem an, denn das Wort ist der Offenbarung Kern und Halt, und wenn man den Theologen vorwirft, sie stritten gern um Worte, so scheint mir das mehr ein Lob als ein Tadel zu sein. Wir *sollen* um Worte kämpfen, wir *sollen* Worte heilig halten und verteidigen, aber nicht unsre eigenen, sondern Gottes Worte. Erinnere dich, Sohn des Brunnenmachers, an das Reinhalten der Brunnenstuben! Sei dessen immer eingedenk! Was nun deine Bedenken betrifft, so zielen sie ins Wichtigste, ins Zentrum unsres heiligen Berufes, des Priestertums. Ein einzelner Mensch für sich allein mag Gott und den Heiland anrufen mit welcherlei Namen er will, er mag sich des feierlichen Ausdrucks bedienen oder des vertraulichsten; es gibt solche, welche Jesum als ihren Bruder anreden, ja ihm spielerische Kosenamen geben, ihn ›mein Jesulein‹ und ähnlich nennen. Ich halte diese Ausdrücke für unnötig und würde sie in meiner Umgebung nicht dulden, aber es ist durchaus möglich, daß ein Mensch, einer für sich allein in seiner Kammer, auf diese Art betet und sich erbaut, und dabei selig wird. Ein andres ist aber, was einer in seiner Kammer tut, und was viele gemeinsam tun. Wenn ich von der Kanzel, als verantwortlicher Diener des Wortes, einen jener spielerischen Ausdrücke brauchen würde, so wäre das Todsünde. Von mir und von meinesgleichen muß ich verlangen, daß wir zwar dem einzelnen Gläubigen seine Gewohnheiten und Bedürfnisse lassen, wenn wir ihn für aufrichtig halten, daß wir aber die Bibel, die Predigt, das Gesangbuch, den Katechismus und das öffentliche Gebet aufs strengste reinhalten von allen Verfälschungen des Wortes. Das Wort ist die Gestalt, in welcher Gott sich den Menschen offenbart hat, und diese Gestalt ist heilig, und ihr zu dienen ist unser priesterliches Amt. Es kann ohne Zweifel ein unstudierter Gläubiger, ein Handwerker oder Bauer sehr tiefe Erkenntnisse und Gedanken haben, viel tiefere als mancher Pfarrer, und niemand kann und soll ihn hindern, für sich, mit seinen Gaben und vor seinem Gewissen die heilige Schrift auszulegen. Wenn er dies aber vor Mehreren und vor Vielen tut, wenn er priesterliche Berufung in sich fühlt, dann soll er die Worte, deren er sich bedient, auch gleich jedem ordinierten Priester dem Urteil der Kirche und der Theologie unterwerfen; d. h. er soll es sich gefallen lassen, daß man seine Worte genau und scharf mit dem Wort Gottes zusammenhalte und vergleiche. Aus dieser Vergleichung und Verantwortlichkeit schreibt sich die Nüchternheit und Behutsamkeit eines guten Predigers her, während ein Schwärmer und Verzückter vielleicht viel feuriger und herzbeweglicher, rührender oder tröstlicher redet, dafür aber in sich und seinen Hörern die reine Lehre unwissentlich verfälscht. Es gehört zu den tausend Unvollkommenheiten dieser Welt, daß ein Priester sich nicht seinen Entzückungen, Gefühlen und Begeisterungen einfach überlassen darf, im Vertrauen daß Gott aus ihm rede, denn zwischen Gotteswort und Menschenwort ist die Schranke unübersteigbar, und der Priester hat Gottes Wort zu verkünden, nicht sein eigenes.«

Ein andresmal, als Knecht ihm gestanden hatte, wie unerreichbar ihm das Ziel scheine, einmal auch so ein Mann wie Bengel zu werden, schüttelte der Lehrer mißbilligend den Kopf. Dann nahm er ein Blättchen Papier, zeichnete darauf einen Punkt und um den Punkt einen Kreis, und sagte: »Der Mittelpunkt ist Einer, das ist Gott. Auf der Peripherie aber ist Raum für unendliche Millionen Punkte, die Millionen sind wir Menschen. Von jedem Punkt der Peripherie geht ein direkter, grader Weg zum Mittelpunkt, den soll er suchen und gehen, jeder den seinen, nicht den seines Nachbarn, er wäre für ihn ein Umweg. Wir sollen keine Vorbilder haben, und sollen nicht Vorbilder für andre werden wollen. Das Vorbild ist Jesus, eines andern bedarf es nicht.«

Wir verzichten ungern darauf, von diesem vorbildlichen Lehrer Bengel noch mehr zu erzählen und zu zitieren. Es sind im 19. Jahrhundert zwei Bücher über ihn erschienen, welche zwar von seinem Leben wenig erzählen, aber viele Aussprüche, Predigten und Briefe von ihm mitteilen. Mit manchen seiner Freunde hat er jahrzehntelang umfangreiche Briefwechsel auf Lateinisch geführt.

Wir übergehen an dieser Stelle einen Abschnitt in Knechts Bildungsgang, nämlich die zwei Seminaristenjahre im Kloster Maulbronn, welche auf Denkendorf folgten. Nach Beendigung der vier Klosterjahre wurde Knecht in das berühmte, vom Herzog Ulrich vor zweihundert Jahren begründete Stipendium für Theologiestudenten in Tübingen aufgenommen.

An der Landeshochschule Tübingen war zu jener Zeit das geistige Leben recht lebendig, wenigstens in der theologischen und philosophischen Fakultät. Die mathematisch und aristotelisch unterbauten, von Frankreich und Holland stark beeinflußten Systeme wurden alle, wenn nicht gelehrt so doch diskutiert, das jüngste und bestechendste war das des Leibniz. Es bestand Spannung und kämpferische Atmosphäre sowohl zwischen den Philosophien und der lutherisch orthodoxen Theologie, wie auch zwischen dieser und dem jungen Pietismus. Noch kampflustiger war das

religiöse und kirchliche Leben des Volkes, das man-
cherorts an Kirche und Luthertum schonungslos Kritik übte. Es begannen überall separatistische Bewegungen, d. h. es taten sich da und dort einige fromme
Laien als »Erweckte« zusammen, besonders die von
französischen Flüchtlingen erweckten »Inspirierten«,
welche miteinander beteten und die Bibel lasen, den
Gelehrten und Pfarrern mißtrauten und das Christentum für eine Sache des Herzens und des Erlebens,
nicht der Tradition, der Formeln und Gelehrsamkeit
erklärten. Hinter diesen stand eine große und volks-
tümliche Macht: das unbezweifelbare Märtyrertum
der französischen Camisarden, der mährischen Ver-
triebenen und anderer mit Staats- und Waffengewalt
verfolgter Protestanten. Die Bewegung der »Inspirierten« machte im Herzogtum viel von sich reden
und führte alsbald auch dort zu öffentlichen Konflikten und Martyrien. Wenn Angehörige dieser Bewegung mit Gewalt auseinandergejagt, ihre Versammlungen polizeilich verboten, ihre wandernden
Sendboten vielerorts bespieen, geprügelt und mit
Steinwürfen aus den Gemeinden vertrieben wurden,
so gab es wohl manchen Pfarrer, der sich liebevoll und
mutig diesen Barbareien widersetzte; aber für jene
Schichten der Christenheit, welche für Erweckungen
und neue Formen des Glaubenslebens reif waren,
hatten die verfolgten, bespieenen, gefangengesetzten
Sektierer in ihrem Blutzeugentum mehr Anziehungskraft als die mit Talaren geschmückten und vom
Lande besoldeten Geistlichen. Andrerseits fehlte es
den Inspirierten in ihrem Gehaben nicht an unge-

wöhnlichen, Verdacht oder Abscheu erregenden Zügen, deren krankhafte Absonderlichkeit vielen unausstehlich war. Es gerieten diese Leute in ihren Zuständen von Inspiration nämlich in fatale Zukkungen und Besessenheiten, wobei sie zwar tiefdringende und prophetische Worte, erweckende Mahnungen und goldene Christenweisheit von sich gaben, jedoch geschahen diese Offenbarungen so anfallweise, so gewaltsam und fallsuchtähnlich, daß auch Wohlgesinnte davon entsetzt waren. Der Führer der württembergischen Inspirierten, Friedrich Rock aus Göppingen, hatte vor kurzem ein Mahnschreiben an die Behörden erlassen, in welchem Gott sich über Land und Kirche Württembergs beklagt, es hieß darin u. a.: »Ich will auch die Blutschulden von den Fürsten, Obrigkeiten, Vögten und Richtern, da so viel Schweiß und Blut der Armen ausgesauget ist, fordern. O Land, o Land, o Stuttgart, o Stuttgart! Wieviel Gutes hast du genossen, aber du hast alle meine Güte auf Mutwillen gezogen und dein Abweichen von mir wird täglich vermehret!«

Dieser Friedrich Rock erschien eines Tages auch in Tübingen, wo er in ebendem »Stift« oder Stipendium, dessen Zögling Knecht war, einen Neffen studieren hatte. Rock nötigte die Tübinger Geistlichen und Professoren durch den Mut und die Entschiedenheit seines Auftretens zu einer Auseinandersetzung, man behandelte ihn mit Achtung und bat ihn um Zusendung seiner Schriften, mußte ihn jedoch ersuchen, keine Zusammenkünfte am Ort abzuhalten und ehemöglichst weiterzureisen. Die kleine Schar der »erweckten« Studenten aber suchte ihn in seinem Quartier auf und stand noch lange unter dem Eindruck seines ernsthaften Wesens und Auftretens.

Knecht war bei alledem ein eifriger, aber stiller und bescheidener Teilnehmer, und gleich seinen Kameraden wollte es ihm scheinen, daß dieser Rock, der so mutig seinen Glauben bekannt und das offizielle Christentum zur Buße ermahnt hatte, der Gestalt eines Apostels ähnlicher sei als der Stadtpfarrer, der ihn nicht widerlegt und doch zu baldigster Abreise aufgefordert hatte. Es ging dem Studenten Knecht wie manchen seiner Freunde und Glaubensgenossen: jedes Erlebnis und jede Erkenntnis, die sie in ihrer Frömmigkeit bestärkte, machte sie zugleich wankend und zweifelhaft in ihrem Beruf. Je gläubiger sie waren, desto bedenklicher wollte ihnen das Priestertum und der Kirchendienst erscheinen, zu dem sie doch erzogen wurden. Einigen graute besonders vor der Verantwortung des Geistlichen bei der Austeilung des Heiligen Abendmahls, andre fanden den gesamten jetzigen Zustand der Kirche hoffnungslos und billigten heimlich das Verhalten der Separatisten. Ein alter frommer Tübinger Bürgersmann, der Pächter der Pulvermühle, sagte einst zu Knecht und seinen Freunden: »Ihr seid Studenten der Gottesgelehrtheit, aber man verbindet euch Augen und Maul, und die besten und frömmsten Bücher, die es nächst der Bibel gibt, dürfet ihr nicht lesen.« Begierig wurde gefragt, was denn dies für Schriften wären, und sie erfuhren, das seien die Bücher des Jakob Böhme, und niemand vermochte zu antworten, denn in der Tat war das Böhme-Lesen verpönt. Knecht litt sehr unter allen diesen Diskussionen. Wenn man es nur gedanklich betrachtete, so gab es gewiß nichts Edleres und Wünschenswerteres, als Theologie zu studieren, zugleich mit dem Bedürfnis des Herzens und den Mitteln der Wissenschaft seine Bibelkenntnis zu vertiefen, die Logik und Metaphysik als Mittel zur Begründung und Nachprüfung einer Philosophia Sacra zu gebrauchen. Aber in der Praxis sah es anders aus, da lag die Weltweisheit mit der Kirchenlehre, diese wieder mit den Seelenbedürfnissen der Frommen im Volke im Widerspruch, da galt es Entscheidungen zu treffen und zwischen Bekenntnissen und Formulierungen zu wählen, über welche die Professoren selber sich stritten, und wenn es die Absicht und das Endziel dieses Studiums war, den Studenten in sich fest und sicher, als Diener Gottes und der Kirche brauchbar und zuverlässig zu machen, so schien jeder Tag ihn von diesem Ziel weiter zu entfernen.

Indessen gab es neben diesem verwirrenden und oft beängstigenden Studium noch ein andres, das war voll Harmonie und Trost. Knecht genoß Unterricht im Orgelspiel und auf dem Cembalo, sang in einem Kirchenchore mit, übte sich mit seinen Freunden im vierstimmigen Gesang, und wendete viele Stunden auf das Studieren und Abschreiben von Orgel- und Chorwerken. Sein Lehrer war einst des großen Pachelbel Schüler und war befreundet gewesen mit dem Stuttgarter Kapellmeister und Stiftsorganisten J. G. Chr. Störl, der ein »Neubezogenes Davidisches Harfen- und Psalterspiel« herausgegeben und Kirchenlieder komponiert hatte, die damals viel gesungen und deren mehrere sich späterhin im Württembergischen Gemeindegesang noch länger als zweihundert Jahre gehalten haben. Jede halbe oder ganze Stunde, die er erübrigen konnte, wendete Knecht an das Üben auf der Orgel, und was hier an Schwierigkeiten und Komplikationen ihm begegnete, war ihm nie zu viel, hier gab es keine Entmutigungen, kein Zweifeln an sich selbst, kein rasches Ermüden. Um jene Zeit war Württemberg, mit Ausnahme etwa der Hofmusik, in musikalischer Hinsicht eine entlegene und sehr unbedeutende Provinz, aber es blühte die Musik, weltliche wie kirchliche, damals in einem so heftigen, schöpfungsfrohen Trieb und Wuchs, daß auch in noch ärmeren und kulturferneren Gegenden jeder musikalisch Geborene eine freudige, belebende Luft zum Atmen vorfand, von deren Frische wir uns kaum mehr die richtige Vorstellung machen können. Ein Jahrhundert von unerhörter Liederfreudigkeit und Melodienfülle hatte die Welt durchklungen, noch rann der Quell des Volksliedes, wenn auch schon ermattet, und waren auch einzelne Zweige der Kunstmusik, wie die Hochkultur der polyphonen Chormusik, schon im Absterben und Verblühen, so stand dafür eine neue Epoche des Bewußtwerdens und der Schöpferkraft im Aufgang, eine Eroberungslust von unerhörtem Schwung bemächtigte sich des Erbschatzes, baute sich immer herrlichere Orgeln, organisierte die Orchester um, eine unzählbare Schar von Musikern war am Werk, schrieb Kantaten, Opern, Oratorien, Konzerte, und türmte in wenigen Jahrzehnten den lichten, freudigen Bau empor, dessen heute jeder Anbeter der holdesten Kunst gedenkt, wenn er einen der geliebten Namen nennt: Pachelbel, Buxtehude, Händel, Bach, Haydn, Gluck, Mozart. Dies alles, dieser ungeheure Schatz an Geleistetem und Vollendetem, war für den Studenten Knecht zwar keineswegs schon vorhanden, er hatte eine Ahnung von Pachelbel, eine schwache Kunde von Buxtehude, die Namen Händel und Bach kannte er noch lange nicht; aber der Strom, den wir Späteren mit der Wehmut der Wissenden übersehen, trug ihn, den Unwissenden, auf seinen lebendigen Wogen mit.

Zwar hatte Knecht seit jenen Maulbronner Bedenken noch des öftern seiner Liebe zur Musik ein schlechtes Gewissen zu verdanken gehabt, nicht ohne Grund, denn sie war wohl mehr als irgend etwas andres Ursache gewesen, daß er trotz seiner herzlichen Neigung zu einer wahren Christlichkeit niemals ganz und gar jene Umkehr und jenes Erlöschen des natürlichen Menschen in sich erfuhr, deren seelische Vorbedingung eine gewisse Verzweiflungshölle, ein Zerfall mit dem eigenen Ich ist. Weltangst, Sündenbewußtsein und Gewissensnot zwar wurden ihm reichlich zuteil, etwas in ihm aber widerstrebte beharrlich der letzten Verzweiflung und Zerknirschung, und dies Etwas hing aufs innigste mit seiner Musikfreude zusammen. Auf dem langsamen Wege zur Versöhnung seiner Gewissensnöte mit seiner Musikliebe wurde ihm gleich in der ersten Tübinger Zeit Dr. Martin Luther ein mächtiger Helfer, denn er entdeckte dessen Lobrede auf die Musik von Jahr 1538, aus welcher er manche Stellen auswendig wußte, zum Beispiel diese: »Wo die natürliche Musica durch die Kunst geschärft und poliert wird, da siehet und erkennet man erst zum Teil – denn gänzlich kann's nicht begriffen oder verstanden werden – mit großer Verwunderung die große und vollkommene Weisheit Gottes in seinem wunderbarlichen Werke der Musica, in welcher vor allem das seltsam und zu verwundern ist, daß einer eine schlichte Weise oder Tenor hersinget, neben welcher drei, vier oder fünf andere Stimmen auch gesungen werden, die um solche schlichte einfältige Weise oder Tenor gleich als mit Jauchzen ringsherum herspielen und springen, und mit mancherlei Art und Klang dieselbige Weise wunderbarlich zieren und schmücken und gleich wie einen himmlischen Tanzreigen führen, freundlich einander begegnen und sich gleich herzen und lieblich umfangen, also daß diejenigen, die solches ein wenig verstehen und dadurch bewegt werden, sich des heftig verwundern müssen und meinen, daß nichts seltsamers in der Welt sei denn ein solcher Gesang, mit vielen Stimmen geschmückt. Wer aber dazu keine Lust und Liebe hat und durch solch lieblich Wunderwerk nicht bewegt wird, das muß wahrlich ein grober Klotz sein, der nicht wert ist, daß er solche liebliche Musica, sondern das wüste Eselsgeschrei des Chorals oder der Hunde oder Säue Gesang und Musica höre.«

Diese Art von Musik, welche Luthern so sehr entzückt hatte, war auch dem Studiosen Knecht besonders lieb: Sätze, in welchen eine Hauptstimme die

Melodie hat, und um diesen cantum firmum her spielend, tanzend, klagend, scherzend ein gläsernes Netz von Ober- und Unterstimmen gewoben, welche ihn in reich figurierten, reich bewegten, selbständigen Bahnen umkreisen, im ganzen dem Liniennetz aufgezeichneter Planetenbahnen vergleichbar, und auch an jene Netze aus Steinrippen erinnernd, an welchen man die Konstruktion alter Kirchengewölbe ablesen konnte. Dazu brachte er von Roos, von Bengel und seiner guten philologischen Schulung her einen Sinn für die Grammatik und die Schrift der Musik mit; bezifferte Bässe lesen hatte er längst gelernt, und drang jetzt mit Freude in die Geheimnisse und Kniffe der neueren Signaturen und Notenschriften ein, bis er die Partitur eines geistlichen Konzerts mit Orgel, Singstimmen und Instrumentalstimmen zu lesen und zu schreiben vermochte. Und als er die erste Passacaglia gespielt und der Lehrer zufrieden war, war das einer der frohesten Tage seiner Studentenzeit, obwohl er auch ein wenig seufzen mußte beim Gedanken, wie viel weniger leicht die Theologie sich von ihm erobern lasse als die Musik.

Mit dem Reich Gottes war Tübingen jedoch immerhin enger verbunden als mit der Musik, und wenn man dort von Händels Opern und von der Existenz des Kantors J. S. Bach nichts wußte, so wußte man in Knechts Freundeskreis desto mehr von den Vorgängen und Personen in der Welt der Frömmigkeit. Nächst Spener und Francke, den Vätern des Pietismus, hatte Knecht in den letzten Jahren keinen Namen so oft nennen hören wie den des Grafen Zinzendorf, von welchem einige geistliche Lieder in Abschriften verbreitet waren und zahlreiche Anekdoten erzählt wurden. Dieser sächsische Graf, fromm erzogen und schon als Kind von einer besonderen Liebe zum Heiland erfüllt, sollte als Jüngling irgendwo ein Bild des Gekreuzigten gesehen haben mit der Inschrift:

Dies tat ich für dich –
Was tust du für mich?

und sollte in jener Stunde gelobt haben, sich und sein Leben ganz und gar dem Heiland darzubringen. Ein Schüler des verehrten Francke in Halle, sollte er als Jüngling die Hochschule Wittenberg besucht haben mit der Absicht, zwischen dem pietistischen Halle und dem streng lutherisch-orthodoxen Wittenberg Frieden zu stiften. Dann sei er, nach der Sitte der adeligen Studenten, auf Reisen geschickt worden, habe am Hof in Paris seine Liebe zu Jesus frei bekannt und die Freundschaft des berühmten Kardinals de Noailles gewonnen, habe diesen auch später noch in eindringlichen Briefen gemahnt, der französischen Protestanten zu gedenken. Weit mehr aber als für diese Erzählungen interessierte und erwärmte man sich für die unter des Grafen Patronat gegründete Gemeinde Herrnhut, wo sich eine Anzahl aus Böhmen vertriebener »mährischer Brüder« angesiedelt und eine Gemeinde von lauter erweckten Christen gebildet habe, denen der Graf ein leiblicher wie geistlicher Nährvater sei. Die Namen Zinzendorf und Herrnhut wurden in Knechts Kreise mehr und eifriger genannt als die irgendeines Potentaten oder irgendeiner Residenzstadt jener Zeit; mit Liebe und mit Kritik, mit Neugierde und Teilnahme, mit Begeisterung und auch mit warnender Bedenklichkeit sprach man von ihnen. Denn wenn auch niemand an seiner Aufrichtigkeit zweifelte, so war doch den bedächtigen und eher schüchternen Schwaben das Pathos und Ungestüm dieses Mannes als allzu theatralisch verdächtig, man wußte nicht recht ob diese Gemeinde Herrnhut nicht vielleicht als eine separatistische Gründung zu betrachten sei, nicht als eine ecclesiola in ecclesia, sondern als ein anmaßendes Sektiererwesen. Andre wieder warfen dem Grafen gerade das Gegenteil vor: nicht Sektiererei, sondern einen charakterlosen Synkretismus, einen Mangel an Bestimmtheit im Bekenntnis, ein Liebäugeln mit allem, was den Christennamen trug, die heidnischen Papisten und die lieblosen Calvinisten nicht ausgenommen. Daß dieser umstrittene homo novus ein Graf, ein Aristokrat und Großgrundbesitzer war, der an Fürstenhöfen und mit französischen Kardinälen verkehrt hatte, wurde ihm teils verübelt, teils als Verdienst angerechnet, auch dieser Umstand trug dazu bei, den Mann interessant zu machen.

Und plötzlich trat dies ferne Gestirn in eine unerwartete Nähe und Wirklichkeit. In Tübingen erschien ein Mann, ein neuer Lehrer am theologischen Stift, der kam direkten Weges aus dem vielumstrittenen Herrnhut, er war selbst dort gewesen, hatte alles selber betrachtet und studiert, hatte mit dem Grafen disputiert, war sein Gast und Freund gewesen, und man hatte sich in Herrnhut alle Mühe gegeben, ihn dort zu behalten. Dieser neue Stiftsrepetent, ein junger Mann von noch nicht ganz dreißig Jahren, hieß Oetinger, und wäre auch ohne seine Beziehungen zum Grafen und den Mährischen Brüdern für seine Studenten eine höchst interessante Persönlichkeit gewesen. Er galt für einen Kopf ersten Ranges; und hätte er nicht, so hieß es, als Schüler in Bebenhausen eine Erweckung und Bekehrung erlebt, so wäre er Jurist und Staatsmann geworden und hätte es ohne Zweifel rasch zum Minister oder Präsidenten gebracht. So aber hatte er Theologie studiert, nebenher auch noch Mathematik und Philosophie, galt auch für einen Leser und Kenner des suspekten Mystikers Jakob Böhme, war ein gründlicher Hebräer und von dort aus noch weiter in die orientalischen Sprachen eingedrungen, hatte mit gelehrten Juden das Buch Sohar studiert, Kabbala getrieben und rabbinische Literatur gelesen – und mit all dieser ungewöhnlichen Gelehrsamkeit und all seinem frommen Eifer, Gott zu dienen, hatte er es doch nicht vermocht, in den heimatlichen Pfarrdienst zu treten, Gewissensbedenken hatten ihn zurückgehalten, namentlich des heiligen Abendmahls wegen. Darum war er auf Reisen gegangen, zuerst mit der Absicht, die Hochschule Jena aufzusuchen, wo soeben eine wahrhaft apostolische Erweckung unter der Studentenschaft begonnen hatte, dann mit dem Plane, sich in Halle als Doctor legis zu habilitieren; vorher aber hatte er in Frankfurt den geehrten Kabbalisten Kappel Hecht besucht, sich mit ihm befreundet und sich über die subtilsten problemata mit ihm besprochen, u. a. machte Kappel Hecht ihn mit einer jüdischen kabbalistischen Hypothese bekannt, wonach Plato ein Schüler des Propheten Jeremias gewesen sei und seine Ideenlehre von ihm übernommen habe. Oetinger war von dem Juden, der ihn sehr lieb gewann, zum Laubhüttenfest mitgenommen worden, und Kappel Hecht hatte ihm viele Ratschläge erteilt, u. a. den, er möge sich lieber mit den rein biblischen Studien begnügen und sich der Hoffnung entschlagen, als Christ und Theologe jemals die letzten Grade der Kabbalistischen Weisheit zu erreichen. Übrigens, fügte der Jude lächelnd hinzu, besäße die Christenheit einen wahren Weisen, welcher der Kabbala ganz nahe stehe, ja ihre christliche Entsprechung sei: er heiße Jakob Böhme.

Dieser Magister Oetinger war also nicht nur in Frankfurt und Halle gewesen, und hatte nicht nur Theologie, Mystik und Kabbala getrieben, er war auch in dem berühmten Herrnhut gewesen, hatte das Leben der dortigen Bruderschaft geteilt und studiert, war vom Grafen ausgezeichnet und zum dauernden Bleiben eingeladen worden, hatte sich jedoch noch nicht binden wollen, sondern war heimgekehrt und wurde vorläufig, da er noch immer Bedenken gegen die Übernahme eines Pfarramtes hatte, von der Kirchenbehörde als »Repetent« am Tübinger Stift verwendet. Er wurde von den Studenten mit großer Neugierde, aber auch mit einigem Mißtrauen betrachtet. Den frommen Studenten war Oetingers vielseitige Gelehrsamkeit, seine Philosophie, sein kompliziertes und glänzendes geistiges Rüstzeug verdächtig. Brauchte ein Theologe, um selig zu werden und andre auf den Weg Jesu zu führen, ein solches Arsenal von Philosophien, von Sprachen, von Methoden? Den Unfrommen unter den Stiftlern dagegen war Oetingers Pietisterei zuwider, sein brüderlicher Umgang mit ungebildeten Frommen in Bibel- und Betstunden, seine beständige Aufforderung, alle Ergebnisse der Weltweisheit an den Worten der Bibel zu prüfen und nichts anzunehmen, was mit ihnen nicht übereinstimmte. In diesem unbestechlichen und hartnäckigen Bestehen auf dem Bibelwort erinnerte er an Bengel. Die Verehrer Bengels waren denn auch die ersten, die sich von Oetinger gewinnen ließen, obwohl auch sie beinahe einstimmig seine Vorliebe für Böhmes Schriften ablehnten. Nun, er drängte ihnen den Böhme nicht auf, aber es tat ihm leid, wenn ein Theologe keine Lust zeigte, alle irgend denkbaren Formen und Äußerungen des Geistes kennen und verstehen zu lernen, er liebte die Abgeschlossenheit nicht. Offenstehen, Neugierde, Freude am Mannigfaltigen schienen ihm wünschens- und pflegenswerte Tugenden zu sein. Er hatte die Gabe, alles anhören und verstehen, alles in sich einlassen zu können; er prüfte und schwieg lange, ehe er die Meinungen eines andern ablehnte. Der Zufall hat das Andenken dieses großen und reinen Geistes verschüttet, wenige kennen seinen Namen mehr.

Beim Antritt seines Amtes fand Oetinger im Stift eine kleine Gemeinschaft ernsthafter Christen unter den Studenten vor, dieselbe welcher er selbst vor wenigen Jahren als Student angehört hatte; unter seinem Einfluß erlebte sie eine neue Blüte. Knecht gehörte zu denen, die ihn aufs innigste bewunderten und liebten. Außer Bengel, dem eher Nüchternen, und außer jenem Enthusiasten Rock, der wie ein feuriger Meteor durch Tübingen gefahren und wieder verschwunden war, hatte er noch nie mit einem Menschen in nahem Umgang gestanden, von dem er mit Gewißheit wußte, daß er den Buß- und Gnadenweg zu Ende gegangen und im Besitz der Gotteskindschaft sei, die sein Leben erhöhte und heiligte. Männer von dieser Art waren gewiß auch jene Spener und Francke und jener berühmte Graf Zinzendorf, sie waren Apostel, waren unmittelbar vom Geist ergriffen und gezeichnet, Wegbereiter Gottes auf Erden. Und nun war dieser Oetinger da, weise wie Salomo und demütig wie ein Mensch, der nicht in seinem eigenen Ich mehr lebt sondern ein Kind Gottes geworden ist, ein Mensch voll von Geist und Temperament und doch ein Bruder und Diener jedes armen Sünders. Er brachte neuen Antrieb und auch neue Methoden in die Bibel- und Erbauungsstunden der kleinen Gemeinde, er bestand mit der ihm eigenen freundlichen Dringlichkeit darauf, daß man in diesen Zusammenkünften nicht eine allgemeine, von sich selbst entzückte und zu nichts verpflichtende Andacht pflege, sondern jeder sich selbst und jeder den andern unerbittlich prüfe, weiter treibe und dem Heil näher bringe. Wenn einer sich seiner innern Erfahrungen rühmte, oder ein andrer über seine Schwächen lamentierte, wies er sie zurecht, oft in sarkastischem Ton, und zwang sie, an einer Bibelstelle erst die Arbeit sauberer theologischer Deutung zu leisten, dann sich selbst und ihre Meinungen, Erfahrungen, Kämpfe und Niederlagen am Schriftwort nachzuprüfen und zu messen. Er selbst stellte sich der Prüfung, Kritik und Ermahnung durch andre mit einem Freimut und einem vollkommenen Mangel an Empfindlichkeit, jeden Vorwurf und Tadel nahm er ernst und unterzog sich ihm willig, ehe er sich gegen ihn rechtfertigte oder ihn als verdient hinnahm. Und immer wieder zwang sein kühner und gläubiger Geist alle Anwesenden, in die Bibel und in den Plan Gottes mit den Menschen einzutreten wie in eine Sphäre reinen Lichtes, Gott den Schöpfer und Gott den Geist aller Menschenvernunft und aller Menschentugend unvergleichbar übergeordnet zu sehen, das einzelne Schriftwort von vielen anderen Schriftworten her zu beleuchten, das Ganze der Hl. Schrift als eine lebendige einheitliche Welt zu erkennen. Es gab für ihn keine Widersprüche, es gab für ihn in der Schrift auch keinen Unterschied zwischen Wichtigem und Unwichtigem, kein Rechthabenwollen des Einzelnen, nur ein unbegrenztes Vertrauen in die Einheit, die wir Menschen immer nur stückweise und durch unsre Triebe und Absichten gefärbt sehen, die aber nicht Stückwerk, sondern Eins und vollkommen und reines Licht ist. Er konnte gegen einseitige Lehren und Urteile, ja gegen offenkundige Häresien erstaunlich duldsam sein, er war ein Prüfer und Schmecker, mit dem Verwerfen und Aburteilen ließ er sich Zeit, und wenn ihm eine noch so entlegene oder abstruse Denkart begegnete, war er vorerst immer für das Kennenlernen, für das Eindringen in ihre Terminologie, ihre Mythologie, ihre

Grammatik und Logik. Dagegen war er bei sich und andern streng in der geistigen Moral, in der Sauberkeit und Konsequenz, und von »schönen« Darstellungen, von empfindsamen und dichterisch geschmückten Philosophien hielt er gar nichts. Seine eigenen Schriften, deren mehrere erhalten sind, lesen sich weder schön noch leicht, man muß Zeit, Geduld und harte Mühe an sie wenden, wenn man zu ihrem lebendigen süßen Kern dringen will. Als Redner schwerfällig und skrupulös, war er als Denker durchaus originell und schöpferisch. Die Weltzeit, in die er geboren wurde, hat ihn kaum verstanden, und sein Leben führte nicht zu Lehrstühlen, Erfolgen und Ruhm, sondern zu einem demütigen Wirken im Kleinen, er gab sich darein, und die Nachwirkung seiner Person und Lehren läßt sich weit bis in die Generation seiner Urenkel verfolgen.

Man erlaube uns diese und manche andre Abschweifung von der Erzählung, da in diesen Blättern nicht so sehr Erzählung als Betrachtung angestrebt wird. Es sei mir ein Seitenblick auf unser »Glasperlenspiel« gestattet. In den drei Jahrhunderten seines Bestehens hat dieses »Spiel« sich darum bemüht, aus dem was die Menschheit an Kulturgütern, an Mythen, an Ausdrucksweisen geschaffen hat, das Beste, das Höchstentwickelte, das Gediegene und Klassische auszuwählen und in die Spielsprache, in Hieroglyphen zu übersetzen. Wir können die Hauptstile und Hauptwerke der Kunst, die bekanntesten Systeme der Mathematik und Logik, die klassischen Stile der Musik, auch der Philosophie und der Dichtung in unsrer gekürzten und beziehungsreichen Hieroglyphensprache andeutend ausdrücken, wobei unser Spiel in den geglücktesten Fällen sich etwa so verhält wie ein Klavierauszug zu einer Vollpartitur. Wir freuen uns dieses Besitzes, sollten aber je und je bedenken, daß er einen geistigen Mikrokosmos zwar andeutet, aber längst noch keiner ist, und daß der Ausdehnung und Erweiterung unserer Spielsprache natürliche Grenzen gezogen sind. Theoretisch könnte jeglicher geistige Besitz, jede irgend einmal verwirklichte Haltung und Leistung der Menschheit in unsrem Spiel ausgedrückt werden – nur würden unsre Spielregeln dann so kompliziert, daß ein Menschenleben nicht ausreichen würde um sie zu erlernen. Jeder von uns, wenn er sich eine Weile historischen Studien hingibt, kennt jenen heftigen Appetit, jene kaum bezwingbare Lust, einen gewonnenen Einblick, ein erlebtes Bild unsrer Spielsprache einzuverleiben, die von einem einzelnen gewonnene Vorstellung und Deutung mit in unsrem Spiel zu verewigen. Nun, die Spielkommissionen der Länder und die geheime oberste Spielleitung dient hier als Damm und Sieb, sie läßt nur ganz außerordentlich selten einen Anbau an die Spielregeln zu, und trotz dieser Vorsicht gibt es unleugbar schon heute Teile unsrer Spielgrammatik, welche schon nicht mehr selbstverständlicher Allgemeinbesitz der Spieler, sondern allmählich Sonderbesitz von Spezialisten geworden und der Gefahr des Vergessenwerdens ausgesetzt sind. Wir könnten ja jeden Tag die Spielsprache vermehren und sie rasch verzehnfachen, ja verhundertfachen, wenn wir allen jenen Appetiten folgen wollten. Es könnte die Formensprache jeder kleinen Maler- oder Musikerschule, es könnte die Dogmatik und Terminologie jeder Sekte, das Eigentümliche jeder Mundart festgehalten werden, wir könnten Zeichen konstruieren, in welchen sich der rauhe Enthusiasmus puritanischen Gemeindegesangs, oder das Schweizerdeutsch des 18. Jahrhunderts oder irgendeine andre Spezialität ausdrücken ließe, und jeder solche Zuwachs wäre entzückend und interessant; nur würde aus unsrem Spiel dabei ein Archiv werden, eine alexandrinische Bibliothek, unüberblickbar, unlebendig, unbeweglich. Wir besäßen dann, in Spielzeichen eingefangen und in Archiven eingesperrt, die ganze Weltgeschichte noch ein zweites Mal.

Diesen Reiz, ein Stück Geschichte festzuhalten und in Zeichen zu verewigen, spürte der Verfasser dieser Erzählung sehr stark, während er sich mit dem sogenannten Pietismus beschäftigte und Gestalten wie Bengel und Oetinger kennenlernte. Es haben diese Menschen in der Tat eine neue, aufrichtige und herzensstarke Form der Hingabe und Frömmigkeit ausgebildet, und es wäre ihre Aufnahme in unsern Mikrokosmos durchaus gerechtfertigt, wenn nicht letzten Endes diese ganze Bewegung unterirdisch geblieben wäre, da es ihr nicht gelang, eine wirkliche, echte, eigene Sprache zu bilden. An neuen Ausdrücken, an einer gewissen Färbung ihres Geistes, einem eigenen Geschmack, einer eigenen Tonart fehlte es nicht, aber wie der Pietismus nicht zu einer Kirche, sondern zu einer Menge von kleinen Sekten geführt hat, so hat er statt einer Sprache nur eine Reihe von Mundarten hervorgebracht. Dies ist die Ursache, warum Bengel und Oetinger vergessen werden konnten, während etwa ein Voltaire noch im Gedächtnis der Geschichtschreiber blieb. Aber wir wissen ja, daß die »unterirdischen« Bewegungen in der Geistesgeschichte zwar einer gewissen Eindeutigkeit und fester Umrisse entbehren, aber in ihren Wirkungen darum nicht hinter den klassischsten und dekorativsten »oberirdischen« Erscheinungen zurückzustehen brauchen. Wie sein okkulter Meister Böhme, so blieb auch Oetinger unterirdisch, obwohl er den ganzen geistigen Besitz seiner Zeit mit einem wachen, schöpferischen Bewußtsein verband; er war nicht zum Voltaire noch zum Klopstock bestimmt, seine Wirkung blieb beinahe anonym, und wer weiß wie viele Wurzeln er hat nähren helfen, deren von uns bewunderte Blüten von ihm nichts mehr wissen. Wir müssen darauf verzichten, die oberirdischen und die unterirdischen Bewegungen in *eine* Kategorie zu bringen; aber wir werden nie darauf verzichten, in privaten Studien diesen Erscheinungen des Geistes bewundernd nachzugehen. Ja, in manchen Stunden mag mancher von uns über diese Dinge einer ketzerischen Meinung sein, der Meinung nämlich, es seien die klassischen Erscheinungsformen des Geistes keineswegs höher zu werten als jene unterirdischen und anonymen, sondern ganz im Gegenteil: es seien nämlich alle Klassiker und alles Klassische nicht Spender und Schöpfer, sondern vielmehr Verzehrer des geistigen Erbgutes, und es seien gerade die unklassischen und oft namenlos bleibenden Bewegungen die eigentlichen Kraftzentren und die

Erhalter und Mehrer der Erbsubstanz. Alle Klassiker stehen an einem Ende, sind Erben und Verzehrer, und eine Blüte wie Mozart etwa hat neben ihrer beglückenden Strahlung immer auch das Gegenteil in sich, die traurigmachende Ahnung, daß in einer solchen Hochblüte ein altes, langsames, edles Wachstum sich nicht erneut sondern erschöpft und aufzehrt. Dagegen hat die Beschäftigung mit jenen blütelosen, aber stillwirkenden Taten und Männern, mit scheinbar kleinen Lebensläufen wie dem eines Bengel und Oetinger stets etwas tief Erfreuendes, tröstlich Bestärkendes in sich, als habe man einen Blick in das verborgene, heilige Wachstum der Natur und der Völker getan.

Genug nun der Abschweifung! Über Oetinger sei nur noch bemerkt, daß er nach einer zweiten Reise zum Grafen Zinzendorf sich seiner Behörde zur Verfügung stellte, trotz seiner Bedenken den Pfarrdienst auf sich nahm und als Pfarrer, Spezial und Prälat, oft schwer bekämpft, verleumdet und angefochten, bis zum Jahre 1782 gewirkt hat. Er hat noch viele Bücher studiert und viele geschrieben, hat seinen rastlosen Geist noch jahrzehntelang weiter geschliffen und geübt, ohne sich um Erfolge und Mißerfolge je zu kümmern und erst zuletzt, in den Jahren des hohen Greisenalters, hat er sich Ferien gegönnt, hat noch manche Jahre still und freundlich in vollkommenem Schweigen gelebt, was manche als Altersschwäche, manche als höchste Begnadung und Weisheit deuteten. Der Dichter Schubart schrieb nach Oetingers Tode: »In neuern Zeiten wird es schwerlich einen Mann geben, dessen Geist so vieles überblickte, der ein so ungeheures Ganzes in seiner Seele hatte. Er war in keiner Wissenschaft ein Fremdling, und in vielen ein Meister. Ich wollte sein Leben schreiben, aber wenn ich an des Mannes Größe hinaufsah, so entsank mir die Feder.«

Drei Semester war dieser Mann Knechts Repetent, nur wenige Jahre älter als er, und er war es, der zu verhindern wußte, daß Knecht der Theologie und des Studiums überdrüssig wurde. Als Berater seiner Studien und Lektüre, als Führer und Stütze des Konventikels »erweckter« Christen unter den Studenten trat er ihm nahe und wurde von ihm geliebt und gefürchtet. Und zwar war es weniger der Gelehrte und Denker Oetinger, vor dem Knecht gelegentlich Furcht empfand, als der Christ.

Es stand mit Knechts Frömmigkeit wunderlich. Ihm schien, er sei von Kindesbeinen an, oder mindestens seit der Stunde seines Knabenerlebnisses mit dem Spezial, zum Christen bestimmt und berufen, seine »Erweckung« in jener Stunde war ein Mahnruf gewesen. Mit dem Abwelken der Kindheit und unter dem Einfluß Bengels war ein neuer Antrieb in ihn gekommen, er schloß sich der kleinen Gruppe von Schülern an, die miteinander beteten und die Bibel lasen. Indessen war sein Glaubensleben seit damals nicht ein Weg und Fortschritt, sondern nur ein Auf und Ab von Seelenbewegungen gewesen, von Rührungen, von Beklemmungen, Stunden des Friedens und Stunden des Schuldbewußtseins, Anläufen zu büßerischer Askese und zu frommer Versenkung; auch war seine Lebensführung die eines braven, bescheidenen und keuschen Jünglings. Wenn er jedoch einige seiner Kameraden, oder gar Männer wie Bengel oder Oetinger ansah, so konnte er nicht bezweifeln, daß sie von ihm gewaltig verschieden und ihm in christlicher Hinsicht unendlich überlegen waren. Bei ihnen allen war etwas vor sich gegangen, eine Bekehrung, ein Bruch mit dem Alten, eine Vernichtung und Wiederaufrichtung, welche Knecht zu begreifen und sich vorzustellen durchaus vermochte und deren Theorie ihm geläufig war, die ihm aber nie zum eigenen Erlebnis geworden war, so oft er auch um sie gebetet hatte. Er war erweckt, aber nicht eigentlich bekehrt. Wir bedienen uns all dieser Ausdrücke mit Vorsicht und nicht ohne Widerstreben: das Christentum in seiner pietistischen Form hat, wie wir schon sagten, keine gültige und bleibende Sprache geschaffen und besessen, wie es denn ein Verhängnis des ganzen Protestantismus war, einige Jahrhunderte lang sich als Gottesstreiter für das reine Wort und die reine Lehre zu empfinden, ohne daß auch unter den Protestanten selbst jemals eine Einigung über das reine Wort und diese reine Lehre zustandegekommen wäre. Verglichen mit der Vulgata, dem lateinischen Credo und dem Messetext sind alle protestantischen Formulierungen schwächlich, und von Luther an nimmt ihre Sprachkraft beständig ab, echte und vollwertige Prägungen sind nach Luther nur noch bei den Dichtern der Kirchenlieder zu finden. Es haben weder die Konkordienformel noch die vielen spätern Bearbeitungen der lutherschen Glaubensschriften, es hat weder Spener noch Zinzendorf, weder Bengel noch Oetinger

sprachlich etwas Überzeitliches und Dauerndes geschaffen, das Wort war trotz allen Rühmens nicht die
Stärke des nachlutherischen Christentums, und in
manchen Sekten ist es bis zur Fratze entartet. Lebendig war es bei Luther, und nach ihm bei den Lieder-
dichtern, und auch sie sind zumeist nicht unabhängige
Wortschöpfer, sondern sehr auf die Musik angewie-
sen und von ihr abhängig.

Es mag sein – wir wissen es nicht – daß damit
Knechts Unfähigkeit zusammenhing, ebensolche Fort-
schritte in der Bekehrung zu machen wie manche seiner Freunde. Ihm war das Wort und die »reine
Lehre« ehrwürdig und heilig, aber im Grunde lag
ihm am Wort doch nicht so viel wie er als Bengel-
schüler sich einbildete, im Grunde regten ihn die Un-
terschiede in den Worten und Lehren nicht gar so
sehr auf, er empfand die Formulierungen im Wort
nicht als so wichtig und verantwortungsvoll, empfand einen Wortfehler nicht als so falsch, unmöglich
und unverantwortlich, wie er etwa einen Formfehler
in der Stimmführung eines Musiksatzes empfunden
hätte. Hier, in der Musik, war er zwar auch bescheiden, war Schüler und sah mit Verehrung zu den Meistern empor, aber hier war er zu Hause, hier konnte
niemand ihm etwas einreden und beweisen, was er
nicht glaubte, hier war sein Urteil, sein Gefühl für
das Richtige, sein Wissen um das Notwendige lebendig und seiner selbst sicher. Seine Seele hatte in der
Musik eine Heimat, und nicht nur eine Heimat, sondern auch eine Ordnung, einen Kosmos, einen Weg
zur Harmonie, zur Einordnung und Entgiftung des

Ich. So blieb er unter den Mitbrüdern der Betstunden, deren Seelenleben und Heilsweg oft durch dramatische Spannungen führte, ein gutartiges Kind, den andern angenehm durch seine freundliche Harmlosigkeit, aber auch verdächtig durch den Mangel an unmittelbaren Glaubenserfahrungen.

Einmal noch, im Jahr 1733, erlebte Knecht einen großen Eindruck von frommer Art, eine Begeisterung und einen heftigen neuen Antrieb. Es kam nämlich jener berühmte Graf Zinzendorf selbst nach Tübingen. Er kam mit bestimmten Absichten, er hoffte in Verfassungsfragen der Herrnhuter Brüdergemeinde ein Gutachten der theologischen Fakultät zu erlangen, aber wie bei allen seinen Reisen und Unternehmungen vergaß er über seinen augenblicklichen Zwecken die große Hauptsorge seines Lebens nicht, das Zeugnis für Jesum und die Förderung des Reiches Gottes. So hielt auch in Tübingen der merkwürdige Mann, obwohl er krank ankam und sich sofort mit Fieber und Schmerzen zu Bett legen mußte, sich nicht verborgen, sondern ließ von der ersten Stunde an, an Schonung so wenig denkend wie an Diplomatie, sich vom Schwung seiner Mission treiben, empfing im Bett die Besuche der Professoren, die Besuche seiner Anhänger, die Besuche von Bittstellern und Ratsuchenden, hielt erst im Krankenzimmer dann, halbwegs hergestellt, auch öffentlich Reden, Disputationen, Versammlungen, Erbauungsstunden ab, predigte, sang seine Lieder, pflegte Brüderschaft und legte Zeugnis ab. Kaum vom Bett auferstanden, suchte er alles auf, was an christlicher Gemeinschaft vorhanden war, und so kam er auch in die Stube im Stift, wo die frommen Studenten ihre Stunden abzuhalten pflegten. Hier sah ihn Knecht, und gleich beim ersten Anblick vergaß er die mancherlei Einwände gegen des Grafen Person und Lehre, und war bezaubert. Er fand in dem Grafen einen großen, lebhaften aber würdigen Mann mit einem langen, bleichen, hochstirnigen Gesicht, mit dem freien und sichern Auftreten des Aristokraten, einen königlichen Menschen, der Rede in unerhörtem Grade fähig, aber nicht nur der Rede; auch Blick, Haltung, Gebärden, Händedruck, Stimme, alles sprach, alles warb und strahlte, alles war Leben und Feuer, gewann und eroberte. Hingerissen blickte Knecht den Apostel an, empfing seinen Händedruck und Blick, einen freundlich brüderlichen und doch majestätischen Blick, dem er schüchtern und errötend auswich, um ihn alsbald wieder zu suchen. Der Graf begrüßte die Studenten als Brüder in Jesu, fragte nach ihren Namen, erzählte ein wenig von seiner Reise und von Herrnhut, bekannte sich zur allgemeinen evangelischen Kirche Augsburgischer Konfession, hielt dann eine Rede über das Lied: »König, dem wir alle dienen«, und alle Anwesenden standen im Bann seiner Rede, seiner Augen, seiner Hingabe an den Heiland. Das Lied übrigens, das Zinzendorf vortrug und über das er seine Rede hielt, stammte nicht etwa aus dem Gesangbuch, sondern war seine eigene Dichtung, vor einem Jahr entstanden, und daß hier ein geistlicher Dichter sein eigenes Werk vortrug und predigend erläuterte, als spräche er über ein Evangelium, das wollte – wie auch das Lied selbst –

nachträglich einzelnen Zuhörern nur halb gefallen; im Augenblick selbst aber fiel es keinem ein, eine solche Kritik zu üben oder auch nur die mindeste Lust dazu zu spüren, so eindringlich, herzangreifend und beseelt sprach der Mann aus der Lausitz. Gleich allen andern hat sich Knecht nachher eine Abschrift dieses Liedes gemacht, es wurde ihm und mehreren andern Studenten von des Grafen Begleiter, Martin Dober, diktiert. Auch Knecht fand nachträglich dies Lied nicht mehr so durchaus schön wie in jener Stunde der Begeisterung, wo es ihm schien, als sei dies Lied eigens für ihn und auf den gegenwärtigen Zustand seiner Seele gedichtet. Es hieß da unter anderem:

> Mache den Gedanken bange,
> Ob das Herz es redlich mein'?
> Ob die Seele an Dir hange?
> Ob wir scheinen, oder seyn?

> Mehrere verborgne Tiefen
> Hat die zarte Eigenheit,
> Als, da wir noch ruhig schliefen
> In der groben Weltlichkeit.

> Bräutigam! Das Werk ist deine;
> Herzen sind dein Eigentum;
> Ihr Beflecktsein oder Reine
> Bringt dir Schande oder Ruhm.

Ob man wirklich sagen könne und dürfe, das Beflecktsein eines Menschenherzens, die ja alle sündig

sind, bringe dem Heiland »Schande«, darüber dispu-
tierte man später wie über manchen andern Punkt,
in jener Stunde aber war man hingerissen und ergriffen von der Rede und dem Redenden. Dieser Mensch
schien ganz und gar durchleuchtet von der Freude des
Bekennens, er schien kaum ein Mensch mehr, kein
Irrender, Sündiger und Sucher, sondern befreit und
geheiligt, durchstrahlt und begnadet.

Etwa zwei Wochen hielt Zinzendorf sich in Tübingen
auf, und Knecht versäumte keine Gelegenheit, ihn zu
sehen und zu hören. Rührte auch in manchen Augen-
blicken sein bei Bengel geschultes Wortgewissen sich
warnend, wenn der Graf von Jesus in Ausdrücken
einer dichterisch verliebten Zärtlichkeit, und vom
Kreuz und den Wunden des Lammes mit einer gewissen überhitzten Verzücktheit sprach, die Bewunderung und Ergriffenheit hielt dennoch durch alle diese
Tage an wie ein geistiger Festrausch. Er war still und
betrübt, als der Fremde abreiste, und empfand es
kränkend, als Oetinger nach einigen Tagen zu ihm
sagte: »Nun, Sie sind noch ganz hingenommen, so
geht es vielen, der Graf ist in der Tat ein großer Redner, und er ist auch noch mehr, gewiß, viel mehr.
Aber dennoch ist er kein Vorbild für einen Prediger,
wenigstens nicht für uns Schwaben. Er hat aus der
Bibel und aus dem Christenglauben ein einzelnes
Stück genommen, davon ist er erfüllt und gibt sich
ihm hin, aber das Stück ist doch nicht das Ganze.«

Nebenbei sei erwähnt, daß dem Grafen selbst die
begeisterte Aufnahme, die er in Schwaben fand, weder selbstverständlich erschien noch eitle Befriedi-

gung brachte. Er, der in Tübingen seinen Zuhörern den Eindruck einer strahlenden Überlegenheit und Begnadung machte, war gegen solche rasche Erfolge mißtrauisch und empfand sie als Gefahr und Warnung. Er hat, wenige Tage nach jenen Tübinger Triumphen, an seine Frau geschrieben: »Ich kann unmöglich diese Gelegenheit vorüberlassen, dich sehr herzlich und innig in Jesu zu küssen; ob ich gleich fast keinen Augenblick mehr Zeit habe. Denn ich habe so viel Briefe geschrieben, daß mir der Kopf wehe tun möchte. Nun schicke ich mich, etlich und zwanzig Leute, die auf mich warten, zu hören und zu sprechen. Ist die Schmach und Noth in der Lausitz groß: so ist die Erhebung meiner Person in diesem Lande mir gewiß tausendmal ängstlicher, und plagt mich bis zum Sterben.«

Magister Knecht hatte sein Examen gemacht, seinen Professoren und den Organisten einen Besuch gemacht, seinen Reisesack und eine Bücherkiste gepackt, jetzt ging er abschiednehmend mit Oetinger in dessen Studierstube auf und ab. Er hatte sich ein Herz gefaßt und dem Repetenten seine Angst vor dem Kirchendienst bekannt. Freundlich faßte ihn Oetinger an den Schultern, sah ihm in die Augen und sagte: »Ja, lieber Knecht, da liegen Sie im selben Spital krank wie ich. Auch ich habe mich bis jetzt nicht zum Pfarrdienst entschließen können, und denke im nächsten Semester nochmals auf Reisen zu gehen, vielleicht bleibe ich irgendwo an einer Universität hängen, will aber auch nochmals nach Herrnhut und den Versuch machen, ob mir dort eine Mitarbeit möglich sei; es wird auch dort nicht leicht gehen. Wenn Sie Ihren Entschluß noch nicht fassen können, so bin ich also nicht der Mann, Ihnen den Stoß dazu zu geben. Sie wissen, daß Sie die Möglichkeit haben, sich von unsrer Behörde beurlauben zu lassen, falls Sie irgendwo eine Stelle als Hofmeister annehmen. Eine solche ließe sich finden, und ich wäre gern bereit Ihnen dabei zu helfen. Sie würden damit Zeit gewinnen und vielleicht etwas von der Welt sehen. Hätten Sie Lust und Begabung dazu, den Hauslehrer zu machen?«

»Begabung? Ich glaube nicht. Es würde mir schwer fallen, ich bin schüchtern und habe nicht die Gabe, mich durchzusetzen.«

»Man kann das lernen. Aber gibt es denn nichts, wozu Sie Lust und Mut hätten?«

»Es gäbe schon etwas, aber ich darf daran nicht denken. Ich meine die Musik; die ist meine Begabung. Aber für die weltliche Musik würde ich mich nicht eignen, es wäre wohl auch schon zu spät, um eine Laufbahn als Cembalist oder Kapellmeister anzustreben.«

»Besprechen Sie das mit Ihren Eltern, Knecht! Sagen Sie ihnen alles ganz aufrichtig. Der liebe Gott hat für jeden von uns eine Verwendung, wir müssen nur willig sein. Schreiben Sie mir oder kommen Sie selber, wenn ich etwas für Sie tun kann! Sie machen etwas durch, was viele durchmachen müssen; bei manchem dauert es lang, bis der liebe Gott ihn wirklich brauchen kann. Wir wollen es Ihm anbefehlen, Lieber, wir haben keine andre Zuflucht.«

Freundlich blickte er dem Studenten in die Augen,

ließ sich auf die Knie nieder und sah Knecht dasselbe tun, freundlich aber durchdringend hielt er seinen Blick eine Weile schweigend fest, dann begann er zu beten. Er betete für Knecht und für sich selbst zugleich, er möge ihr Unvermögen betrachten, aber auch ihren Willen, ihm zu dienen, er möge ihnen an Leiden und Freuden, an Prüfungen und Stärkungen das senden, wessen sie bedürften, und möge sie als Bausteine verwenden, wie und wo es ihm gefalle. Weinend und doch beruhigt nahm Knecht Abschied.

Es ging gegen Abend, am Himmel flogen schnelle Wolken, zuweilen schauerte dünner Regen, der Westen stand in gelbtrübem Brand. Knecht hatte von allen Abschied genommen, er mochte niemand mehr sehen, morgen in der Frühe dachte er zu Fuß die Heimreise anzutreten. Allein und traurig lief er ein letztes Mal zum Schloß hinauf, die Neckarhalde hinab und über den Hirschauer Steg, zurück über die Brücke und rund um die Stadt, durchs Ammertal und die Lange Gasse hinauf, hoch und groß vor dem dunkel gewordenen Himmel sah er die Stiftskirche ragen, und indem er ihr entgegenlief, hörte er innen die Orgel klingen. Langsam ging er über den Holzmarkt und die Kirchstufen empor, lauschte dem Spiel, es war eine Toccata von Telemann, die da gespielt wurde. Lange stand er an der Brüstung und hörte zu, in den Häusern unten schimmerten sanft erleuchtete Fenster, da lag Tübingen, da lagen ein paar Jahre seines jungen Lebens, Jahre voll Eifers und voll Zweifel, voll Fleiß und voll ungewisser Erwartung. Was brachte er mit aus dieser Stadt, aus diesen fleißigen, bangen, hoffenden Jahren? Eine Kiste voll Bücher, die Hälfte davon waren Notenhefte, die er selber vollgeschrieben hatte. Eine Kiste Bücher, und ein Zeugnis seiner Professoren, und ein banges, angstvolles Herz ohne Sicherheit. Das Herz war ihm schwer, es war nicht nur die Rührung des Abschieds; ihm schien, er gehe lauter Schwerem und Dunklem entgegen. Als die Toccata zu Ende war, schlich er still hinweg, um zum letztenmal im Stift zu schlafen.

Am Morgen sehr früh trat er die Fußreise an, das Felleisen auf dem Rücken, durch die kühlgrauen Gassen zur Stadt hinaus und über Bebenhausen dem Schönbuch entgegen. Ein Ziel war erreicht, das einst schwer erreichbar geschienen hatte, man würde ihn zu Hause gut aufnehmen und beglückwünschen. Aber es war keine Freude dabei. Erst mit der durchbrechenden Sonne und dem beginnenden Vogelgesang wachte die Jugend und Lebenslust in ihm auf, und indem er den tiefern Wald erreichte, fing er zu singen an, der Waldgeruch erinnerte ihn an die Heimat, an seine Kinderzeit, an seinen Vater und ihre Rasten und Gesänge bei der Brunnenstube. Er sang Choräle und Arien, und dann Volkslieder, und indem er des Vaters gedachte und der Flöte, die er ihm einst geschenkt, ward ihm erst bewußt, wie sehr er sich auf den Vater freue, und auf Benigna, und daß seine Furcht vor dieser Reise und vor allem Kommenden ganz und gar der Mutter gegolten habe. Daß er nun Theolog geworden war, ein ganz gutes Examen gemacht hatte und Pfarrer werden sollte, wovor ihm aber graute, das ging nur die Mutter an, nur ihretwegen war es schlimm und bedenklich. Denn nie würde sie billigen und zulassen, daß er etwas andres werde als Pfarrer. Er würde es probieren und die erste Berufung zu einem Vikariat annehmen müssen. Sein Gesang war über diesen Gedanken verstummt, still und ernsthaft ging er seinen Weg, sah Rehe auf einer Waldwiese grasen, sah den Habicht im flockig bewölkten Himmel schweben, roch Farnkraut und Pilze, hörte einen unsichtbaren Bach durch blaue Wolken von Vergißmeinnicht drängen, versäumte sich beim Himbeerenessen im Gesträuch, kam aus dem Wald in offnes Feld und durch ein Dorf, trank Milch und aß Schwarzbrot vor einem Bauernhof. Abends aber näherte er sich Stuttgart, der Residenzstadt, wo er übernachten und morgen, als am Sonntag, den Gottesdienst besuchen wollte. Ganz heimlich trug er auch die Hoffnung im Herzen, er bekomme vielleicht in dieser berühmten und kunstliebenden Stadt etwas von der neuesten Musik zu hören. Und in der Tat entdeckte er, sobald er die innere Stadt betreten hatte, an mehreren Straßenecken eine kleine gedruckte Ankündigung, daß heut abend ein Virtuose des Klavizimbels sich hören lasse. Der Eintrittspreis [1] aber war so hoch, daß er dem Studenten unerschwinglich schien. Betrübt ging er weiter, fühlte sich auf den gepflasterten Gassen nun plötzlich recht müde, und fragte sich vollends zum Leonhardsplatz und zu seinem Nachtquartier durch. Er war von einem seiner Examens-

[1] Dazu eine Notiz mit Bleistift: Konzerte gegen Eintritt damals in Stuttgart noch nicht Sitte.

genossen an dessen verheiratete Base, eine Frau
Aktuar Pfleiderer, für ein Nachtlager empfohlen
worden. Diese Frau war eben im Begriff das Haus zu
verlassen, als er die Glocke am Haustor ziehen
wollte, sie musterte ihn und fragte ihn, ob er der erwartete Kandidat Knecht sei. Und dann bedauerte
sie, daß er so spät komme, sie müsse sich nämlich
eilen, noch rechtzeitig in das Cembalo-Konzert zu
kommen, und gern hätte sie ihn eingeladen mitzu-
kommen, aber nun sei er müde und hungrig von der
Reise.
Ach nein, das war er nicht mehr, die Freude fuhr ihm
durch und durch, hastig bedankte er sich, ließ Stock
und Felleisen auf der Treppe liegen und schloß sich
der freundlichen Dame an. Sie kamen in den Kon-
zertsaal, es war der Tanzsaal eines Gasthauses, man
saß auf rohen Holzbänken ohne Lehnen, nur zuvor-
derst waren für hohe Gönner einige Lehnstühle aufge-
stellt. Knecht folgte dem Konzert mit gespanntester
Aufmerksamkeit. Eine französische Suite entzückte
ihn sehr, und die Gewandtheit des Virtuosen schien
ihm bemerkenswert, dagegen fand er die beiden
Sonaten von dessen eigener Komposition nicht be-
deutend, und auch nicht sein freies Phantasieren
über ein Thema. Auf dem Heimweg fragte ihn die
Frau Aktuarin aus, und sie kamen in ein lebhaftes
Gespräch. Sie habe ein Cembalo zu Hause stehen,
meinte sie, und nun müsse er ihr zeigen, wie *er* jenes
Thema behandelt hätte. Sie kamen nach Hause, der
Aktuar wartete im Wohnzimmer bei einer Lektüre,
er begrüßte den Gast, man sprach vom Konzert und

die Frau bestand darauf, Knecht über jenes Thema phantasieren zu hören. Er war verlegen, fügte sich aber bald, setzte sich ans Instrument, spielte das Thema, begleitete es mit einer Baßstimme, fügte einen frei spielenden Diskant hinzu und führte die drei Stimmen kontrapunktisch klar und kräftig durch. Man lobte ihn, setzte ihm Most und Butterbrot vor und blieb noch eine Stunde auf.

»Morgen ist Sonntag«, sagte der Hausherr, »und es schickt sich eigentlich nicht recht, daß ein Theolog so seinen ganzen Sonntag auf einer Fußreise verbringt. Bleiben Sie den Tag bei uns, Sie sind ja ein freier Mann, und von Stuttgart müssen Sie doch auch etwas sehen.«

Knecht sagte zu, man erhob sich, der Aktuar zündete zwei Kerzen an, gab eine dem Gast, nahm selbst die andre, und führte ihn in sein Schlafzimmer. Am Sonntag früh nach der Morgensuppe führte ihn sein Wirt durch die Stadt und um das Schloß, dann holten sie die Hausfrau zum Gottesdienst ab und zogen mit Gesangbüchern in die Stiftskirche. Die Orgel klang herrlich, und Knecht merkte sogleich, daß ein Meister sie spielte, er hörte ein Choralvorspiel, das ihm in allen Sinnen wohltat. Die Predigt des Stadtpfarrers

(Hier endet das Manuskript)

(Maschinengeschriebenes Notizblatt:)

Schwäbischer Theologe im 18. Jahrhundert

Knecht wird Theologe, studiert in Tübingen mit Oetinger, schwankt zwischen Liebe zur Musik und zur Frömmigkeit, ist ohne Ehrgeiz aber voll Sehnsucht nach einem erfüllten Leben, einer Harmonie, einem Dienst am Vollkommenen.

Darum allmählich mit Theologie unzufrieden: zu viel Lehrstreit, Kirchenstreit, Parteien etc. Besucht Zinzendorf und die Inspirierten, ist sehr vom Pietismus erfüllt, aber das alles ist ihm zu kämpferisch, zu exaltiert etc.

Wird Pfarrer, findet aber kein Genüge dabei.

Spielt Orgel, erfindet Präludien etc., hört sagenhaft von Seb. Bach reden. Erst ganz spät, schon nicht mehr jung, findet ein Klang von Bach bis zu ihm: Einer spielt ihm ein paar Choralvorspiele etc. von B. vor. Jetzt »weiß« er, was er sein Leben lang gesucht hat. Der Kollege hat auch die Johannespassion gehört, erzählt davon, kann einiges reproduzieren, Knecht verschafft sich Auszüge aus diesem Werk. Er erkennt: hier hat, abseits von allen Lehrstreiten etc., das Christentum noch einmal einen neuen, herrlichen Ausdruck gefunden, ist Glanz und Harmonie geworden. Er legt sein Amt nieder, wird Kantor, sucht sich Bach-Noten zu verschaffen. Bach ist eben gestorben, Knecht sagt: »Da hat nun Einer gelebt, der hatte alles, was ich suchte, und ich wußte nichts davon. Aber ich bin doch zufrieden, mein Leben war nicht umsonst.« Er resigniert als stiller Organist.

Zweite Fassung

Unter einem der vielen eigensinnigen, begabten und schließlich trotz allen Unarten beinah liebenswerten Herzöge von Württemberg, die sich mit der »Landschaft« ebenso zäh und siegreich wie launisch und knabenhaft um Geld und Rechte einige Jahrhunderte lang gestritten haben, wurde Knecht in der Stadt Beutelsperg geboren, etwa ein Dutzend Jahre nachdem durch den Frieden von Rijswik das Land für eine Weile von den Teufeln erlöst worden war, die es im Auftrag Ludwigs XIV. lange Zeit wahrhaft viehisch gebrandschatzt, ausgesogen und verwüstet hatten. Zwar dauerte der Friede nicht lang, aber der tüchtige Herzog, mit dem damals berühmtesten Feldherrn Prinz Eugen von Savoyen verbündet, raffte sich auf, schlug die Franzosen mehrmals und trieb sie endlich aus dem Lande, das nun seit bald hundert Jahren mehr Krieg als Frieden und mehr Elend als gute Tage gesehen hatte. Das Land war seinem schneidigen Fürsten dankbar, welcher seinerseits energisch die Gelegenheit ergriff, dem Lande ein stehendes Heer aufzunötigen, womit der gewohnte und normale Zustand einer in ewigem Kleinkrieg warm gehaltenen Haßliebe zwischen Fürst und Volk wiederhergestellt war.

(Es folgt eine Notiz des Autors: Sein Leben hat Knecht selbst beschrieben) dann:

Ich Joseph Knecht, weiland Organist in Beitelsperg an der Koller, durch Gottes Gnade soeben von einer schweren Gicht genesen und wieder im Stande mit eigener Hand eine Feder zu führen, will in dieser Schrift, zuhanden meiner Neffen und deren Nachkommen, einige Erinnerungen aus meinem Leben aufzeichnen, obzwar selbes kein glänzendes oder bedeutendes Leben gewesen ist, sondern ein armes und bescheidenes. Man hört heute viel unzufriedene Reden, daß Glaube und Sitte der Väter in Verfall geraten sei und daß uns böse Dinge bevorstünden; manche haben aus der Apokalypse Johannis das baldige Erscheinen des Antichrist vorausgesagt. Ich weiß nicht, wie es damit beschaffen ist, aber was die liebe Musica betrifft, so muß ich selbst eingestehen, daß sie in unserer Epoche zwar manche erstaunliche und aufregende Neuerungen erfahren, im ganzen jedoch die Reinheit, Strenge und Adligkeit der alten Meister verloren hat und zwar modischer und schmeichelnder, aber auch leichtfertiger und zügelloser geworden ist. Möge der Herr alle diese Dinge in treuen Händen halten, und uns seinen Frieden geben, welcher höher ist denn alle Vernunft.

Mein Vaterhaus steht hier in Beitelsperg an der »graden Steig«, welche von der Nonnengasse gegen den Spitalwald hinan führt. In dieser Gasse sind die unteren Häuser recht stattlich mit polierten Türen und schönen Riegelwänden, so geht es bis zur Steig-

schmiede, die beherrscht mit ihrem hellen Amboßge-
läut die ganze Gasse, und vor der Werkstatt ist auf
zwei Pfeilern ein Vordach errichtet, daß auch bei Regen und Schnee die Rosse, wenn sie zum Beschlagen
kommen, im Trocknen stehen mögen. Dann aber
wird die breite Gasse plötzlich schmal und sehr steil
und es stehen hier oben nur noch kleine und ärmliche
Häuser. Eines von ihnen war das meines Vaters, es
stand mit dem Giebel nach der Gasse zu und sah auf
dieser Seite niedrig und sonnenlos aus, aber mit der
Rückenseite hing es hoch und licht über der Schlucht
des Täfelbaches, der hier herabkommt und unten bei
der mittleren Mühle in den Fluß mündet. Zwischen
dem Bach und der Stadtmauer lag unser kleiner Garten mit ein paar Obstbäumen, darunter waren, meines Vaters Stolz, zwei Zwetschgenbäume. Solche sind
zu jener Zeit im Lande noch selten und köstlich gewesen, und waren alle aus jenen paar Reisern oder
Kernen gewachsen, welche anno D. 1688 die Übriggebliebenen des berühmten schwäbischen Regimentes
aus dem fernen Belgrad mitgebracht hatten, wofür
sie noch lange von den Baumzüchtern gepriesen wurden. Als wir klein waren, wenn es dann zur Obst-
ernte kam und mein guter Vater uns die erste
Zwetschge zu schmecken in die Händlein gab, sagte
er gern dazu: »Kinder, als euer Vater auf die Welt
kam, da hat es im ganzen Land noch keinen Zwetsch-
genbaum gegeben. Da hat unser Herr Herzog ein
Regiment Soldaten dem Kaiser zu Hilfe nach Wien
geschickt, die haben am 6. IX. 1688 die Festung Belgrad gestürmt, es sind aber die wenigsten von ihnen

wieder heimgekommen. Und die haben damals die ersten Zwetschgen mit in unser Land gebracht, und seither haben wir sie und sind froh darüber.«

Unser Haus war klein und bescheiden, aber es lag im höchsten Teil der Stadt, hoch über Kirche, Rathaus und Markt, aus den oberen Stuben und von der Laube war es ein schönes Blicken das Waldtal hinab und hinaufwärts. Die Laube hing frei über der Schlucht, nach den Gewittern und im Frühling beim Tauwind kam der Bach mit Donnern und Brausen, mit dunklen Wassern und weißem Schaum durch die Felsen und Farnkräuter gestürzt, wir sahen es als Kinder gern, aber der Vater hatte keine Freude daran, ihm brachte das Großwasser jedesmal viel Arbeit, Plage und Sorge. Er hatte ein nicht sehr einträgliches, aber seltenes und geachtetes Handwerk und Amt, er war nämlich Brunnenmacher. Dem Gemeinderat war er dafür verantwortlich, daß die Brunnen in der Stadt und Vorstadt Wasser führten und rein gehalten wurden. Es gab zwar vier Brunnen in Beitelsperg, und gibt sie noch heut, welche stetsfort von selber laufen, und manche gute Hausfrau tut es nicht anders: auch wenn es sie einen weiten Weg kostet, füllt sie ihre Trinkwasserkrüge jeden Tag aus einem dieser Brunnen, und trägt ein reines, kaltes Quellwasser nach Hause. Alle anderen Brunnen aber und die Viehtränken werden von entfernteren Quellen her gespiesen, aus Grotten und Brunnenstuben draußen im Walde, und von den Brunnenstuben den weiten Weg in die Stadt rinnt dieses Wasser in hölzernen Röhren, die man Teichel nennt. Die Teichel sind halbierte tannene Stammholzstücke mit halbrund ausgehöhlter Rinne, und man brauchte ihrer das Jahr hindurch hunderte und hunderte. Diese Teichel herzustellen, sie zu Leitungen bald über bald unter der Erde zusammenzulegen und zu befestigen, für Gefälle und Reinhaltung der Wasser zu sorgen, beständig alle Schäden in der Leitung aufzusuchen und auszubessern, war des Brunnenmachers Beruf. In strengen Zeiten, etwa nach Überschwemmungen, arbeitete er mit mehreren Taglöhnern, die ihm von der Stadt gestellt wurden. Mit meinem Vater war der Gemeinderat zufrieden, er war fleißig und zuverlässig und verstand seine Hantierung gründlich, bloß daß er vielleicht ein wenig wortkarg und in jener Weise wunderlich war wie es Leute sind, welche keine Kollegen haben und ihrem Beruf zum größten Teil draußen in Wald und Einsamkeit nachgehen. Für die Kinder der Stadt war unser guter Vater ein geheimnisvoller und nicht gewöhnlicher Mann, mit den Wassernixen bekannt und in den entlegenen, finsteren Brunnenstuben zu Hause, in welche man nicht hineinblicken konnte und in welchen es so fremd und wunderbar schauerlich klang und gluckte, und aus welchen auch die kleinen Kinder sollten geholt werden. Darum fürchteten manche Kinder meinen Vater, weil er ein Waldmensch war und dem Wasser gebot, und auch ich selber, obwohl ich ihn von Herzen liebhatte, habe als kleines Kind eine große Ehrfurcht und ein wenig Scheu vor ihm gehabt. Es gab in der Stadt bloß einen einzigen Mann, an dem ich als Knabe noch ehrfurchtiger emporblickte und der mir noch würdiger, edler und furchtgebietender erschien. Dieser war der Spezial, so heißt bei uns der höchste evangelische Geistliche der Stadt und des Bezirkes, welchem die anderen Pfarrer in Stadt und Dörfern unterstellt sind. Der Spezial war ein schöner, stets schwarz gekleideter und mit einem Hute geschmückter Herr von hoher Gestalt und aufrechter, edler Haltung, stillem bärtigem Gesicht und hoher Stirn. Daß mir dieser Priester so sehr ehrwürdig war, dessen war zum Teil auch meine Frau Mutter Ursache.

Meine Mutter nämlich war eine Pfarrerstochter, und wenn es auch im Haus ihres Vaters sehr schmal zugegangen war und ihre Geschwister in Ärmlichkeit lebten, hielt sie doch große Stücke auf ihre Herkunft, erzählte gern davon und hing mit frommer Treue an den kirchlichen und geistlichen Erinnerungen ihres Vaterhauses. Sie las die Bibel, sang mit uns die Kirchenlieder und erzog uns im gläubigen Gehorsam gegen die Landeskirche und die reine Lehre, wie sie seit den Zeiten Brentii und des J. V. Andreä im Herzogtum treu bewahrt worden war. Wir erfuhren schon früh, daß es auf Erden, und sogar in unsrem eigenen Lande, manche furchtbare und verdammte Irrlehre und falschen Glauben gebe, vor allem waren uns die Gläubigen der römischen Kirche als Papisten und Teufelsdiener bekannt, in Werkheiligkeit und Bilderdienst verkommen; aber es gab auch evangelische und antipäpstliche Kirchen und Lehren, welche trotzdem der Reinheit und Echtheit ermangelten und im Grunde wenig besser waren als das römisch-päpstliche Heidentum. Als einst eine junge Verwandte sich mit einem Schweizer von calvinischem Glauben verlobt hatte und nun Abschied nahm um dahinzuziehen und in der Fremde zu leben, wurde sie von meiner Mutter unter Tränen, Gebeten und Beschwörungen entlassen als ginge sie in Feindes Land und Hand. Unser Vater verhielt sich dabei ganz stumm, wie er denn überhaupt wenig sagte; aber als während jener gerührten Szene die Mutter von einer Nachbarin hinausgerufen wurde und eine kleine Weile wegblieb, legte er der jungen Braut seine Hand auf den Rücken, klopfte ihn sanft und sagte mit seiner tiefen, freundlichen Stimme: »Bärbele, das ist alles nicht halb so schlimm, das kannst du mir glauben. Die Calviner sind Leute grade wie wir, und der liebe Gott hat sie grade so gern wie uns.« Im Hause und in der Erziehung waren es Geist und Wort der Mutter, welche das Regiment führten, und es hatte da alles einen Zug ins Geistliche und Feierliche, so als lebten wir um einen Schritt näher unter Gottes Auge und Aufsicht als gewöhnliche Leute. Mein Vater hatte vor diesem geistlichen Wesen und Streben große Achtung, wie er denn die Mutter immer sehr geliebt hat, doch teilte er diese ihre Bestrebungen nicht und hätte eigentlich lieber ein gewöhnliches Leben geführt statt eines priesterlichen. So verhielt er sich zu Hause meist still. Er ging jeden Sonntag zur Predigt und einige Male des Jahres zum Sakrament des Abendmahls, womit seine geistlichen Bedürfnisse völlig gestillt waren; theologische wie seine Frau hatte er nicht. Sie waren in mancherlei Betracht sehr von einander verschieden, das wußten wir schon als kleine Kinder, und zu manchen Zeiten schien es so, als reize ein jedes durch seine gegensätzliche Art das andre, als betone die Mutter, je weniger der Vater das mitmachte, desto mehr ihre fromme Strenge und ihre vornehme Herkunft aus einem Pfarrhause.

Es gab nun aber eine Gewohnheit und ein Bedürfnis, welches in der Kirche wie zu Hause diesen beiden gemeinsam war und sie als eine holde aber starke Macht zusammenband, das war die Musik. Den Gesang der Gemeinde halfen ihre beiden Stimmen fleißig stützen, und zu Hause stimmten sie fast an jedem Feierabend geistliche oder Volkslieder an, dann sang mein Vater kunstvoll und mit manchen Improvisationen die zweite Stimme, und als wir beide, meine Schwester Babette und ich, noch kleine Kinder waren und noch von keiner Schule wußten, da sangen wir schon kräftig mit, und es wurden auch drei- und vierstimmige Lieder sauber gesungen. Dabei neigte unser lieber Vater mehr zu den Volksliedern, von denen er einen ganz unerschöpflichen Vorrat in sich zu tragen schien, unsre Mutter aber sang lieber geistliche Gesänge, deren es kaum weniger gab. Mein Vater, der so viel weltlicher gesinnt war, trieb außerdem auch außerhalb des Hauses auf mancherlei Arten Musik, ja ich glaube, daß sein ganzes Tun und Leben immerzu von Musik begleitet war. Er verschönte sich damit vor allem die Ruhepausen bei seiner meist einsamen Arbeit draußen in Wald und Heide. Dann sang oder pfiff er seine Volkslieder, Märsche und Tänze, oder blies irgendein von ihm selbst verfertigtes Instrument, am liebsten eine kleine dünne Holzflöte ohne

Klappen. In seinen Jugendjahren hatte er auch als Pfeifer und Zinkenist auf den Tanzplätzen mitgeblasen, bei seiner Verlobung mit der Pfarrerstochter aber anno 1695, hatte er seiner Braut versprechen müssen, dieses niemals mehr zu tun, und hatte sein Wort gehalten, obwohl er nicht so tief und brennend wie meine Mutter davon überzeugt war, daß die Wirtshäuser und Tanzböden Brutstätten des Satans seien.

Als ich noch ein ganz kleiner Knabe war, hat mein Vater mich manchmal auf seine Arbeitsplätze vor der Stadt mitgenommen. Damals wußte und ahnte ich noch nichts von alle dem, was das Leben zwischen meinen Eltern oft schwierig oder traurig machte, und ahnte noch viel weniger von den Konflikten, die mir mein eigenes Leben einst sollten erschweren. Das alles ist längst vergangen, die Eltern ruhen in ihren Gräbern, ich selber bin ein alter Mann, die Lebenskämpfe meiner Eltern und meine eigenen sind ausgekämpft und beinahe vergessen, über alles ist Gras gewachsen. Aber jene Tage und Stunden am frühen Morgen meines Lebens, die ich mit meinem so sehr geliebten Vater draußen in den Wäldern, bei den Quellen und Bächen, auf den Lichtungen zwischen den weißen geschälten Stämmen der gefällten Tannen hingebracht habe, die sind auch in den Zeiten der Sorge und Unruhe nie ganz vergessen worden. Sie treten vielmehr, je älter ich werde und je ferner sie liegen, desto heller hervor, oft weile ich in ihnen wie in einer Gegenwart; oft auch, wenn ich zurückdenke, scheint jene selige Kindheit mir unendlich gewährt zu haben, ja es scheint mir dann, es sei mein ganzes, eigentliches Leben nur eine kurze Unterbrechung und Störung gewesen, nur ein Augenblick zwischen den glücklichen Tagen von einstmals und den jetzigen, da ich sie in der Erinnerung wieder und wieder koste.

In diesen Erinnerungen sehe ich den Vater bei seiner Arbeit im Walde und sehe mich, den kleinen Knaben, auf den Steinen an einem Bachufer sitzen oder Blumen pflücken oder zwischen den stark duftenden Stämmen und den hohen wehenden Farnkräutern umherklettern, ganz hingenommen und eingesponnen von dem Leben um mich her, vom Geruch des Holzes und der Pflanzen, vom tiefen Getön der Hummeln, dem Glänzen der Käfer, dem Farbengeflatter der Falter. Manchmal kam der Vater still geschlichen, oder warnte mich von weitem durch Gebärden, und wir hielten uns, so lang wir konnten, ganz still und unbewegt und sahen eine lange Schlange durchs Gras schlüpfen und unbegreiflich sich verlieren, oder Rehe zwischen den Bäumen stehen und die schönen Hälse strecken, oder einen Hasen rennen oder den Fischotter am Ufer schleichen und blitzschnell im Wasser verschwinden, oder einen Falken im Schweben einhalten und Kopf voran wie einen dunklen Pfeil senkrecht niedersausen. Zwischen allen diesen schönen oder unheimlichen Dingen, den Bäumen und Bächen, Pflanzen und Tieren sah ich die ehrwürdige Gestalt meines Vaters schreiten und walten, mit allem vertraut, aller Geschöpfe Bruder oder Herr, ihrer Namen und Zeichen, ihrer Stimmen, Gewohnheiten und Geheimnisse kundig. Die Stadt, das Haus, die Stube, die Mutter, das war alles fern und vergessen, das reichte nicht bis hierher in die duftenden Waldklüfte; manchmal wären wir beide lieber draußen und für immer im Walde geblieben wie die mir unheimlichen, dem Vater befreundeten Köhler, die wir manchmal bei ihrem rauchenden Meiler aufsuchten. Und das Schönste war, wenn nach getaner Arbeit und verzehrtem Mittags- oder Vesperbrot der Vater bei mir auf dem Stamm oder Steine saß oder in den Gräsern lag; dann holte er seine helltönende kleine Pfeife hervor, spielte eine Weise um die andre, mit unermüdlichen Fingern und unermüdlichem Atem, und ich mußte sie alle nachsingen und mußte mit der Zeit auch zu allen eine zweite Stimme singen lernen. Es gab kein Volkslied, das er nicht wußte, und von vielen kannte er in Text und Melodie mehrere Gestalten, konnte sie auf schwäbisch, oberländisch, bayrisch spielen und singen. Ich glaube, es sind damals vor meinen Ohren nicht wenige alte Lieder, Tänze und Sequenzen erklungen, welche heute niemand mehr kennt und welche niemals wieder ein Ohr vernehmen wird. Es ist, wie ich glaube, heut ein anderer Geist in der Welt als er damals war, und ich glaube, daß man damals, vor sechzig und mehr Jahren, in unseren Landen musicam besser und sorgfältiger gepflegt hat als heutigen Tages, wo man mehr als zweistimmige Lieder selten mehr auf den Gassen und im Felde singen hört, und wo auch schon die zweistimmigen in mancher Gegend seltner werden. Aber immer haben alte Leute die neuen Zeiten und die jetzige Jugend gern gerügt und verächtlich gemacht, ich weiß es, und vielleicht ist das alles Traum und Täuschung.

Mir aber sind auf dem Weg, den mich Gott hat gehen lassen, jene Zeiten der Kindheit immer wie ein dahinten liegen gebliebenes Paradies erschienen, zu welchen heimzukehren köstlich wäre, aber Weg und Schlüssel sind verloren und die Pforte verschlossen, und erst der Tod wird sie vielleicht wieder öffnen. Die Bilder jener frühen Zeit, und das Bild meines Vaters, wie er mir die Geheimnisse der Wälder zeigt und wie er in den Farnkräutern sitzt und auf der kleinen, selbstgemachten Flöte seine hundert und hundert Melodien spielt, diese Bilder haben für mich eine große Wirklichkeit und Kraft, und haben so leuchtende Farben, wie nur manchmal Träume sie haben.

Zu Hause jedoch waltete die Mutter und führte die Erziehung, und von einer gewissen Zeit an, namentlich aber seit ich in die Schule ging, kam ich von Jahr zu Jahr mehr unter ihren Einfluß und schien ihr nachzuschlagen. Mein Vater, wenn ich das sagen darf, hatte durch seine Ehe mit einer frommen und klugen Frau aus gebildetem Stande eine gewisse Erhöhung erfahren, welche ihm viel Schönes zubrachte und sein Leben reicher machte, es war sein Leben gewissermaßen etwas vornehmer geworden oder in eine andre, spirituellere Tonart transponiert worden, er hatte eine Frau bekommen, welche sogar ein wenig Latein verstand; nur hatte er dies nicht einfach geschenkt bekommen, sondern erwerben und bezahlen müssen, und mußte es immer von neuem. Er hatte seiner Braut und Frau zuliebe auf manche Gewohnheiten seiner Jugendzeit verzichtet, namentlich auf den Besuch der Wirtshäuser und auf das Mitspielen bei den Tanzmusiken. Aber vom alten Adam ihn ganz und gar zu lösen war der Mutter doch nicht gelungen. Es war bei ihm, ohne daß er es wollte und wußte, nicht selten ein gewisser Widerwillen gegen den Geist zu spüren, welchen die Mutter in unserm Hause eingeführt hatte. Wenn er mit uns Kindern allein war, so gab es kein Ermahnen, Beten und Bibellesen, und keine erbaulichen Gespräche, und wenn die Mutter nicht dabei war, wurden stets seine Volkslieder gesungen und niemals einer von den Chorälen, welche ihre Freude waren. Und wenn dies Kleinigkeiten waren, so gab es zwischen Vater und Mutter leider auch ein großes und ernsteres Geheimnis, wovon wir Kinder erst spät Mitwisser wurden. Unser lieber Vater hatte eine Schwäche, welche der Mutter und ihm selbst vielen Kummer schuf. Während er nämlich fast das ganze Jahr hindurch als Hausvater, Bürger und städtischer Brunnenmacher wie auch als Glied der christlichen Gemeinde allen seinen Pflichten genügte und nicht nur ein ehrsames, sondern ein vorbildliches und höchst enthaltsames Leben führte, geschah es ihm zu seltenen Malen, nicht öfter als ein- oder zweimal im Jahre, daß er von einem unbezwinglichen Trieb verführt wurde: er ergab sich dann einen Tag oder auch zwei Tage lang dem Trunk, lag in Schenken herum und kehrte nach solchen Exzessen scheu und sehr still nach Hause zurück. Hier wurden zwischen den Eltern über diese betrüblichen Vorkommnisse nur etwa Blicke, doch längst keine Worte mehr gewechselt. Denn trotz der Exzesse war doch die Zucht, in welcher unser Vater sich selbst hielt, stark genug, ihn bis in das Laster hinein nicht völlig loszulassen. Wenn nämlich jener Hang zur Betäubung ihm übermächtig wurde, dann mied er nicht bloß sein Haus und unsre Gasse, sondern auch die Stadt, und selbst in der Willenlosigkeit des Rausches passierte es ihm niemals, daß er die Schauplätze seines täglichen Lebens aufsuchte und sich vor den Mitbürgern bloßstellte, wie so mancher andre es häufig tat. Sondern er brachte sein Opfer an die dunklen Mächte seiner Natur im Verborgenen dar, er nahm entweder seine Getränke mit über Feld ins Freie hinaus oder genoß sie in entfernten Wirtshäusern und Dörfern, wo er keinen Bürger seines Ranges antraf, und kehrte niemals betrunken nach Hause zurück, sondern immer erst ernüchtert und im Zustand der Reue. So haben auch wir Kinder erst spät von diesem Geheimnis erfahren, und haben auch dann uns noch lange dagegen gesträubt, es zu glauben.

Von beiden Eltern habe ich mein Blut und mein Gemüt überkommen, beiden bin ich verpflichtet und verbunden, ich kann das Erbe nicht trennen. Gar oft während meines Lebens glaubte ich zu wissen, daß ich ganz und gar der Sohn meiner Mutter sei, ihr ähnlich in allem und auch noch da wo ich die Ähnlichkeit gern abgelehnt und abgeleugnet hätte. Aber immer wieder kam die Gegenstimme zu Wort und ich erkannte überall meinen Vater in mir wieder. In den Jugendjahren, wo diese Erbschaft mich oft sehr beengte, versuchte ich es oft, sie mir recht deutlich zu machen, und habe es mehrere Male sogar schriftlich versucht, meine Person mit ihren Gaben und Fehlern in der Weise auf ein Schema zu bringen, daß ich alle Eigenschaften, Leidenschaften, Fähigkeiten und Neigungen, die ich in mir vorfand, in Worten aufzeichnete und sie in zwei Reihen untereinander schrieb, die eine als väterliche, die andre als mütterliche Züge bezeichnend. Da standen auf der Vaterseite: Gutmütigkeit, Freude an der Natur, Kampf zwischen Pflichtgefühl und Lässigkeit, gutes Gedächtnis, Mangel an Menschenkenntnis, Neigung fremdem Einfluß zu unterliegen usw. Auf seiten des Muttererbes standen verzeichnet: Frömmigkeit, Devotion gegen Heilige Schrift und Kirche, Anlage zu Theologie und Spekulation und manche andre Dinge. Bei beiden aber war die Freude an der Musik ein wichtiger Punkt, nur daß sie bei meinem Vater ganz obenan stand und eigentlich alle geistigen Gaben und Bedürfnisse beherrschte oder ersetzte, bei der Mutter aber manchen Einschränkungen unterlag. In solchen Spielereien suchte ich mir selbst den Spiegel vorzuhalten und mich zu erkennen, manchmal auch zu erziehen oder über mich Gericht zu halten. Aber immer war das Schema viel zu starr, und immer wurde ich bei diesen Bemühungen mir selber am Ende nicht klarer, sondern immer unerklärlicher und rätselhafter, bis ich mit den Jahren diese Art der Selbsterforschung als ein unnützes Spiel aufgab und mich mit dem Gedanken tröstete, daß ja auch mein Vater und meine Mutter nicht starre Einheiten, sondern aus vielerlei Erbschaften ihrer Vorfahren gemischt waren, und vielleicht jedes von ihnen schon dieselben Zwiespältigkeiten und Zweifelhaftigkeiten getragen habe wie ihr Sohn.

Vielleicht habe ich meinen Vater, wenigstens in der ersten Kindheit, mehr als die Mutter geliebt, meine Liebe zu ihm war ganz unbegrenzt, ich wäre ihm durch Wasser und Feuer nachgelaufen. Von ihm lernte ich Waldlaufen, einsames Belauschen der Tiere, Kenntnis von Blumen und Kräutern, Fischfangen, Nachahmen von Vogelstimmen und eine Menge solcher Fertigkeiten und Spielereien, von ihm lernte ich aber auch musizieren, rein singen, Takt halten. In allem aber blieb er der Meister, den ich bis heute nie erreicht habe, besonders in der Handfertigkeit war er wie ein Zauberer, mit einem Sackmesser und einem Stück Holz oder Rohr oder Rinde, oder was es nun war, konnte er machen was er nur wollte, namentlich hat er sich immer wieder selbst seine vielerlei Blasinstrumente angefertigt, manches nur für den Augenblick, um ein paar Stückchen darauf zu blasen und es wegzuwerfen, andre für die Dauer. Und ebenso wie seinen Händen alles zur Verfügung stand und entgegenkam, und seinen stillen, oft halbgeschlossenen Augen nichts in der Natur entging, so schien ihm auch die ganze Welt der volkstümlichen Musik anzugehören: Wie er als Brunnenmacher alle Quellen und Wasserläufe kannte und mit ihnen hantierte, so war sein Gedächtnis eine Brunnenstube, darin alle Quellen, Bäche und Grundwasser der Melodien wohnten und lebendig sprudelten. Dieser ganze Reichtum jedoch lebte nur draußen ganz auf, wenn er mit sich oder einem von uns Kindern allein war. Zu Hause war er stiller und kleiner, oft war er da beinah nur wie zu Gast, und ich empfand dann zuweilen ein Bedauern und ein leises Brennen im Herzen. Unser Haus war nicht eigentlich das seine, es war unserer Mutter Haus.

War des Vaters Heimat und Welt die Natur, der Wald mit seinen Tannen und Quellen, samt dem Urwald der Lieder, so lebte die Mutter in einer anderen, geistigeren und strengeren Welt, ihr Leben stand unter Gesetzen der Ordnung, der Pflicht und der Andacht, und hinter diesen Gesetzen stand die feierliche Welt der Kirche und des Glaubens. Zwar war es nicht jene große, uralt-heilige Kirche, welche einst die ganze Christenheit umfaßt hatte, es war nur unsre kleine württembergische Landeskirche, aber davon wußte ich noch nichts, für uns war sie die einzige und heilige, und sie wurde in unsrer Stadt vertreten von dem Herrn Spezial Bilfinger, und in unserem Hause von der Mutter, der frommen und in den Fragen des Glaubens geschulten Pfarrerstochter.

Und so lernte ich, je älter ich wurde, desto mehr neben der naturhaften Welt meines Vaters eine andre kennen, und sie schenkte mir, indem sie mich allmählich jener andern, väterlichen Welt entfremdete, nicht minder schöne, nicht minder geliebte und heilige Bilder und Erinnerungen: die Mutter und ihre geliebte Stimme, den Geist ihrer biblischen Geschichten und Choräle, die häuslichen Andachten und die Gottesdienste in der schönen Stadtkirche, in welche ich schon früh mitgenommen wurde. Ich ging gern mit und kann mich an meine kindischen Gedanken und Träumereien in der Kirche noch wohl erinnern, und besonders an drei Dinge: an den Spezial-Superintendenten, wie er im schwarzen Kleide hoch und ehrwürdig zur Kanzel schritt, an die Wogen der Orgelmusik, wie sie mit langem Atem den heiligen Raum durchfluteten, und an das hohe Gewölbe des Kirchenschiffs, zu welchem ich während der langen feierlich halbverständlichen Predigten lange und träumerisch emporblickte, bezaubert von dem wunderlich lebendigen Netzgeflechte der Gewölberippen, das so still und steinern und alt da oben hing und beim Betrachten so viel Leben, Zauber und Musik ausstrahlte, als wöben in diesen sich spitzwinkelig schneidenden Steinrippen die Gewalten der Orgelmusik sich spielend und kämpfend fort und fort, unterwegs zu einer unendlichen Harmonie.

Als ich noch klein war, schien es mir ganz natürlich, daß ich werde was mein Vater war, daß ich einst bei ihm seine Hantierung erlerne und später selbst ein Brunnenmacher sei, die Quellen fasse und pflege, die Brunnenstuben rein halte, die Holzröhren zusammensetze und in den Ruhepausen im Walde Lieder auf selbstgemachten Flöten spiele. Etwas später aber hatte ich schon andere Gedanken, da wollte mir scheinen, es gebe nichts Erstrebenswerteres, als einmal so in seiner Stadt einherzugehen wie der Spezial, schwarz gekleidet und würdevoll, ein Priester, ein Diener Gottes und Vater der Gemeinde. Nur mochten dazu freilich Kräfte und Gaben gehören, welche sich selber zuzutrauen Vermessenheit wäre. Weniger prächtig und ehrenvoll vielleicht, aber um nichts weniger wünschenswert und angenehm wäre mir der Stand eines Musikanten erschienen, zu nichts hätte ich mehr Lust und Trieb gehabt als etwa die Orgel zu spielen und ein guter Cembalist zu werden, nur sah ich keine Wege zur Erreichung solchen Ziels. So standen manche Wunschbilder und Zukunftsträume über meiner Kindheit, und mit dem Schwinden und Abwelken der Kindheit selbst schwand und welkte mehr und mehr auch der früheste und unschuldigste dieser Wünsche: zu werden was mein Vater war.

Nun muß ich auch meiner Schwester Babette gedenken, sie war einige Jahre jünger als ich, ein schönes und etwas scheues und eigenwilliges Kind. Im Singen und später auch im Lautenspiel war sie von unbeirrbarer Sicherheit, und auch in ihren Gefühlen, Neigungen und Gewohnheiten war sie nicht zu beirren, sie hat zeit ihres Lebens ihren eigenen Kopf gehabt und durchgesetzt. Schon von allem Anfang an, noch eh sie laufen konnte, neigte sie viel mehr zum Vater als zur Mutter und stellte sich später immer entschiedener auf seine Seite, wurde sein Liebling und Kamerad, lernte alle seine Volkslieder, auch jene die man zu Hause vor der Mutter nicht singen durfte, und hing ihm mit einer leidenschaftlichen Liebe an. Übrigens sind wir zwei nicht die einzigen Kinder unsrer Eltern gewesen, es wurden ihnen sieben oder acht geboren, und zuzeiten war unser kleines Haus überfüllt mit Kindervolk; aber bloß ich und Babette sind groß geworden, alle anderen starben früh, wurden beweint und wurden vergessen.

Von allen den Erlebnissen meiner frühen Knabenzeit muß ich eines vor allen andern aufzeichnen und mir selbst wieder zur Betrachtung vor die Augen halten. Es war nur das Erlebnis eines Augenblicks, aber es ist tief in mich eingegangen und hat einen langen Nachhall in mir gehabt.

Den Spezial B. kannte ich von jeher, doch kannte ich ihn nicht eigentlich als einen Menschen, sondern mehr wie eine Heldenfigur oder einen Erzengel; in einer unerreichbaren Ferne, Höhe und Würde schien dieser Hohepriester zu schreiten. Ich kannte ihn von der Kirche her, wo der Spezial entweder am Altare stehend oder erhaben auf der Kanzel ragend mit Gestalt, Gebärde, Blick und Stimme die christliche Gemeinde regierte, ermahnte, beriet, tröstete, warnte, strafte, oder als Mittler und Herold ihr Flehen, ihren Dank, ihre Sorgen im Gebet vor Gottes Thron brachte. Ehrwürdig, heilig und auch heldisch erschien er da, keine Person sondern nur Gestalt, nur Darstellung des Priesteramtes, Künder des göttlichen Wortes, Verwalter der Sakramente. Auch von der Straße kannte ich ihn; dort war er näher, erreichbarer, menschenähnlicher, dort war er mehr Vater als Priester; von jedermann ehrerbietig gegrüßt schritt er hoch und schön einher, blieb bei einem Alten stehen, ließ sich von einer Frau ins Gespräch ziehen, bückte sich zu einem Kinde herab, und sein edles geistiges Gesicht war hier weniger amtlich und unnahbar, strahlte Güte und Freundlichkeit, und Respekt und Vertrauen kam ihm aus allen Gesichtern, Häusern und Gassen entgegen. Auch ich selbst war schon einige

Male von diesem Patriarchen angesprochen worden, hatte seine große Hand um meine kleine oder auf meinem Kopf gefühlt, denn der Spezial anerkannte und schätzte in meiner Mutter sowohl die Pfarrerstochter wie das eifrig-fromme Gemeindeglied, und sprach sie oft auf der Gasse an, hatte auch schon manchesmal unser Haus zu einem Krankenbesuch betreten. Indessen war trotz seiner Freundlichkeit meine ehrfürchtige Scheu vor dem gewaltigen Herrn sehr groß. Wenn ich ihn in seiner Kirche im Ornate amtlich walten sah, fürchtete ich ihn viel weniger als wenn ich ihn auf der Gasse sah, wo er mich vielleicht anrufen oder mir die Hand geben konnte; darum verlor ich mich meistens, eh er mich erkannte. Wenn ich ihn aber während der Predigt betrachten oder auf der Straße ungesehen hinter ihm gehen konnte, dann studierte ich den Mann, der in meinen Augen ein kleiner Herrgott war, mit großer Begierde, er war für mich geheimnisvoll wie die Kirche selber mit den Gewölben und farbigen Scheiben, halb zu fürchten, halb zu lieben. Und auch das Haus, darin er wohnte, war ein Geheimnis und zog mich an. Das Spezialat stand oberhalb des Marktplatzes und der Kirche und war ein schönes, steinernes Amtshaus, das von der Gasse etwas zurückstand und mit ihr durch eine breite, schwer gemauerte Treppe verbunden war. Ein Portal mit schöner Nußbaumtür und Messingbeschlag führte ins Haus, aber im Erdgeschoß dieses stillen und vornehmen Hauses waren keine Wohnstuben, nur eine große leere Vorhalle mit Steinfliesen und ein kleiner, flach gewölbter Saal für Sitzungen; hierher wurden zuzeiten die Gemeindeältesten oder die Konfirmanden berufen, hier auch kamen alle paar Wochen die Geistlichen der Umgegend bei ihrem Vorgesetzten und Visitator zu einer kollegialen Geselligkeit mit theologischen Disputationen zusammen. Die Wohnung des Spezials lag eine Treppe höher. Auch im alltäglichen Leben war er vornehm entfernt und abgesondert. Ich kam nicht sehr oft in jene Gasse, aber ich hatte doch mehrmals dieses vornehme und verschlossene Haus beschlichen und neugierig angesehen, ich war leise die kühle Steintreppe hinangestiegen, hatte das glänzende Messing an der altersdunklen Tür betastet und die Ornamente darauf betrachtet, hatte auch etwa die Tür nur angelehnt gefunden und einen Blick ins Haus getan, in die schweigsame Vorhalle, aus deren düsterer Leere man weit hinten eine Treppe hinanführen sah. In diesem großen hohen Hause wohnten bloß drei Menschen, und es verriet nichts von ihrem Leben. Andere, gewöhnliche Häuser waren viel offener und mitteilsamer, sie erlaubten manchen Blick in das Leben ihrer Bewohner, man sah durchs Fenster in die unteren Stuben, sah jemand in der Stube sitzen, sah Hausbesitzer, Knecht oder Magd bei einer Arbeit, sah Kinder spielen, hörte Stimmen rufen. Hier aber verbarg und verhielt sich alles, hoch oben in vollkommener Unsichtbarkeit und Stille verlief das häusliche Leben des Spezials, der Witwer war und dessen Haushalt eine schweigsame alte Verwandte führte, außer ihm und ihr war noch eine ebenfalls alte Magd im Hause. Hinter dem Spezialat erstreckte sich ein Garten mit Obstbäumen und

Beerensträuchern, auch er wohlumhegt und verborgen, nur der nächste Nachbar mochte hier etwa den geistlichen Herrn an Sommertagen auf und nieder wandeln sehen.

Hinter dem Garten des Spezials standen, steil berganwärts getürmt, noch ein paar weniger ansehnliche Häuser, und in einem von ihnen hatte oben im höchsten Stockwerk eine Base meiner Mutter, eine alte Jungfer, zwei Kammern inne, und einmal an einem Herbsttag nahm meine Mutter mich zu einem Besuch bei ihr mit, obwohl ich dazu nicht die mindeste Neigung hatte, vergebens versuchte ich mich loszubitten. Wir gingen hin, und in der Altjungfernwohnung setzten sich alsbald die beiden Frauen zueinander und begannen ihre lebhaften Fragen und Erzählungen auszutauschen, ich aber stellte mich ans Fenster und schaute hinaus, anfangs mürrisch und gelangweilt, bis ich entdeckte, daß es der Garten des Spezials war, auf den ich hinuntersah. Die Bäume waren verfärbt und schon halb kahl und verloren im Herbstwind Blatt um Blatt. Auch auf das Haus des Spezials konnte man hier blicken, doch waren alle Fenster seiner Wohnung geschlossen und hinter den Scheiben nichts zu erkennen. Ein Stockwerk höher aber konnte ich in einen Dachboden blicken, wo etwas Wäsche aufgehängt war und Brennholz gestapelt lag. Daneben sah ich in eine ziemlich kahle Dachkammer, wo eine große Kiste mit Papieren gefüllt stand und alter, weggeräumter Hausrat an der Wand stand und lag, eine Truhe, eine Kinderwiege, ein baufälliger Lehnsessel mit zerrissenem Bezug. Gedankenlos aber neugierig starrte ich in diesen unwohnlichen Raum und auf das dort verkommende Gerümpel.

Da plötzlich erschien in der Dachkammer eine große Gestalt, es war der Spezial selber. Barhaupt im grauen Haar, im schwarzen langen Gehrock, trat er herein, und ich wartete mit Jägerspannung und plötzlich hochgeschnelltem Interesse, was wohl der ehrwürdige Herr in diesem vernachlässigten Winkel zu verrichten habe.

Der Spezial Bilfinger ging mehrere Male mit starken Schritten durch die Kammer auf und nieder, mit einem sorgenvollen Gesicht, unruhig, sichtlich von Kummer und schweren Gedanken gepeinigt. Dann blieb er stehen, mit dem Rücken zum Fenster, langsam das Haupt senkend. So stand er eine Weile, und nun erschrak ich: er ließ sich plötzlich auf beide Knie nieder, faltete seine Hände und preßte sie zusammen, hob und senkte die gefalteten Hände betend, verharrte kniend und tief zum staubigen Boden gebückt. Ich verstand sofort, daß er betete, und ein Gefühl von Scham und schlechtem Gewissen zog mir das Herz zusammen darüber, daß ich Zuschauer dieses Knieens und Betens geworden war; aber es war mir nicht möglich mich abzuwenden, atemlos und erschrocken starrte ich auf den knieenden Mann, sah seine Hände flehen und sein graues Haupt wieder und wieder sich neigen. Seine Stimme konnte ich nicht hören, die Entfernung war zu groß. Und endlich stand der Mann wieder auf, langsam und mit einiger Mühe, wurde wieder groß und aufrecht, und einen Augenblick konnte ich sein Gesicht sehen; es standen Tränen in seinen Augen, aber das ganze Gesicht glänzte sanft, es schimmerte von einem stillen andächtigen Glück und sah so schön und unbeschreiblich liebenswert aus, daß ich kleiner Knabe an meinem Fenster einen Druck und Schauder im Innern empfand und weinen mußte.

Mit Mühe gelang es mir, meine Tränen, meine Bewegung und mein ganzes Erlebnis zu verbergen. Wie tief das Erlebte mich getroffen hatte, wie stark es für lange Zeit in meinem Leben nachklang – im ersten Augenblick empfand ich in meinem kindischen Gemüt vor allem dies: daß ich ein Geheimnis habe, daß ich etwas Unaussprechliches, etwas Großes aber Geheimes und Schamhaftes ganz für mich allein erlebt habe. Das gab mir eine Wichtigkeit und auch eine Aufgabe: das Geheimnis zu hüten. Ich verbarg also meine Tränen, die Frauen merkten nichts davon, daß mir etwas geschehen sei. Und so habe ich mein Leben lang bis heute das Knabengeheimnis gehütet, nie habe ich es irgend jemandem erzählt, und so hat es zeitlebens für mich etwas von seiner damaligen Heiligkeit behalten. Viele Jahre lang schien mir jener Augenblick eine Berufung zu bedeuten, einen ersten Ruf Gottes an mich, einen ersten Blick in das »Reich Gottes«. Und jetzt, wo ich von ihm zum erstenmal gesprochen habe, kommt es mir beinahe so vor als sei dies der eigentliche und heimlichste Antrieb zu meiner jetzigen Schreiberei gewesen: »es« einmal auszusprechen. »Es« hat in meinem Leben, oder doch in meiner Jugend, eine große Rolle gespielt, eine allzu große, wie mir heute scheint. Darum ist es mit dem

Erzählen nicht getan, ich muß es auch zu erklären versuchen.

»Es« bestand also darin, daß ich in jener Stunde zum erstenmal einen Menschen wirklich und ernstlich sich vor Gott hatte niederwerfen und zu ihm beten sehen. Wem das wenig und unbedeutend scheint, für den ist mein Erlebnis lächerlich. Mir aber kam es ungeheuer groß und wichtig vor. Warum?

Ich war, glaube ich, damals sieben Jahre alt, und war das Kind christlicher Eltern, es war mir also die Gewohnheit des Gebets wohl bekannt, ich selber betete jeden Abend, und bei jeder Mahlzeit tat es die Mutter. Es war eine hübsche und feierliche Gewohnheit, ich hatte sie gern, und wußte auch ahnungsweise was sie bedeutete: nämlich daß wir unser alltägliches Leben dadurch vor Gott heiligen wollten. Wenn man vor dem Schlafen und Essen ein Gebet sprach, so war das ähnlich wie wenn man statt gewöhnlicher Worte Verse sprach, oder wenn man statt gewöhnlicher Schritte musikbegleitete Marsch- oder Tanzschritte tat. Es entstand dabei eine Gehobenheit des Herzens, es wurde das Gewöhnliche bedeutender, man trat in Beziehung zu höheren Mächten. Diese Stimmung steigerte sich noch beim kirchlichen Gottesdienst, sie wurde gehoben durch die Gemeinsamkeit vieler, durch den ehrwürdigen Raum, durch den gemeinsamen Gesang und am meisten durch das Orgelspiel. Diese Feierlichkeit hatte mir manchesmal das Herz auf eine merkwürdige, zugleich freudige und bange Weise erhoben.

Jetzt aber hatte ich etwas ganz anderes erlebt. Ich

Kind hatte einen großen, erwachsenen Mann, einen alten Mann bekümmert und hilfsbedürftig durch die Kammer laufen, hatte ihn niederknieen, beten und weinen, sich demütigen und flehen sehen; er war vor meinen Augen klein und ein Kind geworden. Und dieser Mann war nicht irgendeiner gewesen, sondern der Spezial, der verehrte und auch gefürchtete Prediger, der Mann Gottes, der Vater aller, der von allen tief Gegrüßte, der Inbegriff männlicher und priesterlicher Würde. Ihn hatte ich sorgenvoll und verzagt gesehen, und hatte gesehen, wie er sich demütig in den Staub niederließ und vor Einem kniete, vor welchem auch er nur ein Kind und nur ein Stäubchen war. Das waren die ersten Gedanken, die sich mir daraus ergaben: wie von Herzen fromm dieser Mann sei – und wie königlich und gewaltig Gott sein müsse, daß ein solcher Mann so sich vor ihm hinwarf und flehte! Und weiter: das Flehen war erhört worden; unter Tränen hatte das Gesicht des Beters gelächelt, hatte Tröstung, Stillung und süße Zuversicht ausgedrückt. Ach, dies war nicht auszudenken, nicht in Wochen und Monaten. Schon manchmal hatte ich mich mit dem Wunsch und Traum vergnügt, selbst einmal ein Spezial in schwarzem Anzug und Schnallenschuhen zu werden; jetzt waren meine Gedanken zum erstenmal ernstlich dem zugewandt, dessen Diener der Spezial war. Das, was ich in der Bodenkammer des Spezials gesehen hatte, war ein Gottesbeweis: nein, eine Offenbarung an mich, daß Gott lebe.

Und wieder war Gott gegenüber der Spezial nicht

bloß ein Diener, Beamter und Beauftragter, nein, er war sein Kind, er wandte sich an ihn wie ein Kind an den Vater, demütig aber voll Offenheit und Vertrauen. Für mich war, seit ich ihn auf den Knieen gesehen hatte, der Geistliche zugleich weniger und mehr geworden, er hatte etwas an stolzer Würde verloren und dafür etwas an Heiligkeit oder innerem Adel gewonnen, er war aus den gewohnten Ordnungen heraus und unmittelbar in Beziehung zum himmlischen Vater getreten. Ich selber hatte ja hundertmal gebetet, es war eine artige und edle Zeremonie, ein respektvoller Gruß an den fernen Gott. Aber ein solches Gebet hatte ich nicht gekannt und nicht geahnt, nicht diese Not und Getriebenheit, diese Hingabe und heftige Werbung, ja Beschwörung, und dieses Wiederaufstehen in Freude, Versöhnung und Gnade. Dieses Gebet war wie ein Kampf und wie ein Gewitter gewesen! Es war also hinter dem Talar und der Würde des Geistlichen, hinter Kirche, Orgelklang und Chorälen nicht bloß etwas unbekannt Majestätisches verborgen, sondern eine Gewalt, ein Herr, zu dessen Dienst und Preis dies alles da war, Er selbst, welcher der Herr der Könige und zugleich der Vater jedes Menschen ist.

Eine Zeitlang war ich von meinem Geheimnis wie besessen, es trieb mich Tag und Nacht um. Es war mir Großes begegnet, aber nichts dessen ich mich rühmen und vor andern froh werden durfte; ich war Zeuge eines Vorganges geworden, welcher alle Zeugen scheut, ich hatte geschaut, was man nicht schauen soll. Für den Spezial hatte ich seit jener Stunde eine vermehrte Ehrfurcht und ganz neue Liebe, aber zugleich schämte und fürchtete ich mich vor ihm wie vorher nie. Es war eine unruhige Zeit. Während meine Gedanken begierig an dem Erlebnis hafteten, um es wieder und wieder in mir nachzubilden und auszudeuten, strebte doch zugleich ein Gefühl der Scham in mir davon fort; ich wünschte das Unvergeßliche bald festzuhalten, bald zu vergessen, ich versuchte mich davon zu lösen und wurde immer wieder dazu zurückgezogen. Das Geheimnis drückte mich schwer.

Die Schule dauerte jedes Jahr vom Herbst bis zum Frühling, außer dem Schreiben und Lesen lernten wir dort Bibelsprüche und geistliche Lieder und den kleinen Katechismus; es war oft langweilig, aber niemals anstrengend. Die Musiknotenschrift lernte ich früh und spielend von den Eltern. Schon sehr früh und immer wieder las ich die wenigen Bücher, die meine Eltern besaßen. Das größte und unerschöpflichste war die Bibel, aus welcher die Mutter auch jeden Morgen ein weniges vorlas, wonach jedesmal ein Choral gesungen wurde, meistens zwei- oder dreistimmig. Die Texte aller Choräle, deren es eine schöne Menge gab, standen gedruckt in einem schönen kleinen pergamentnen Büchlein mit ganz schmalen Zeilen, dessen Titel hieß: »Geistliche Seelen-Harpffe oder Würtembergisches Gesangbüchlein«. Dieses zierliche Buch in Sedez hatte ich überaus gern, schon weil es so klein und schön war; auf dem Pergament des Einbandes war in zarter Zeichnung und leicht mit Farben getönt eine Pflanze mit fünf verschiedenen Blumen und dreierlei Blättern eingepreßt, sie wuchs aus einer Vase empor, darum herum lief eine dünne Goldleiste, und innen vor dem Titelblatt und dem Privilegium des Herzogs waren zwei Blätter mit Kupferstichen. Auf dem einen Blatt sah man den König David auf einer schön geschweiften Harfe musizieren, welche zuoberst mit einem Engelsköpfchen verziert war, fünf hebräische Schriftzeichen schwebten wie eine Sonne darüber; auf dem anderen Kupfer sah man den Heiland auf der Brüstung eines gemauerten Ziehbrunnens sitzen und zu einer Frau sprechen, der Brunnen war Jakobs Brunnen in der Stadt Sichar in Samaria, und die Frau war jene Samariterin, welche an den Brunnen kam um Wasser zu schöpfen um die sechste Stunde, da Jesus müde von der Reise dort rastete, und zu ihr sprach: »Gib mir zu trinken«, und sie antwortete: »Wie bittest du von mir zu trinken, so du ein Jude bist, und ich ein samaritisch Weib?« (Joh. 4, 9). Darunter war das herzogliche Wappen abgebildet mit den drei Hirschgeweihen, den Mömpelgarter Fischen und anderen Emblemen sowie in äußerst kleinem Maßstab auch noch die Stadt Tübingen. Und in dem Buch standen mehr als dreihundert geistliche Lieder, gedichtet von Dr. Martin Luther, vom Herzog Wilhelm zu Sachsen, von Clausnitzer, Rinkhardt, Rist, Heermann, Nicolai, Paulus Gerhard, Joh. Arnd, Goldevius und vielen anderen Dichtern, deren manche prachtvoll fremdländische Namen hatten wie etwa Simphorianus Pollio. Wenn ich diese Lieder mit meinen Eltern sang, dann war der Zusammenklang und die Verschränkungen der Stimmen die Hauptsache, und ich achtete wenig auf die Worte und Verse. Las ich aber für mich allein, dann erst suchte ich die Worte im einzelnen zu verstehen, dann erbaute und ergötzte ich mich an der Erwartungsfreude der Advents- und der Festlichkeit der Weihnachtslieder, an der bangen Todesklage der Passions- und dem Jubel der Auferstehungslieder, an der Bitterkeit der Buß-Choräle, der Bilderfülle der Psalmengesänge, an den frischen Morgen- und sanfttraurigen Abendliedern:

Nun geht ihr matten Glieder / geht hin / und legt euch nieder / der Betten ihr begehrt: Es kommen Stund und Zeiten / da man euch wird bereiten / Zur Ruh ein Bettlein in der Erd.

Noch ehe ich in der Bibel lesen konnte, erfüllte und entzückte mich diese Lektüre, die Lieder waren mir Erbauung, waren mir Dichtung und Weisheit, Unterhaltung und Genuß; aus ihnen erfuhr ich am eindringlichsten die Geschichte von Jesu Leben, Leiden, Tod und Herrlichkeit, aus ihnen ward mir die erste Deutung des Menschenherzens mit seinen Erhebungen und Ängsten, seiner Tapferkeit und Bosheit, seiner Vergänglichkeit und seinem Streben nach Verewigung, die erste Kunde vom Leben in dieser Welt, wo so oft das Böse triumphiert, und vom Reich Gottes, das in diese Welt hineinragt und sie mahnend und richtend auf sich bezieht:

Erzürn dich nicht / O frommer Christ / vor Neid tu dich behüten / Obschon der Gottloss reicher ist / so hilft doch nicht sein Wüten. / Mein Bein und

Haut / gleich wie das Kraut / wird er kurtz ab-
g'haun / Sein G'walt und Reich / gilt eben gleich
/ dem Grass auf grüner Auen.

Die Erbschaft von zweihundert Jahren deutscher Re-
formation war da aufbewahrt, und manches Stück,
wie etwa die von Luther selbst verdeutschte Litanei
»Kirieleis« brachte einen Klang noch ehrwürdigeren
und geheimnisvolleren Altertums mit hinein. Noch
eh ich den Katechismus konnte, hatten diese Lieder
mir die evangelische Lehre vertraut gemacht, welche
noch zur Stunde in Frankreich, in Mähren und anderwärts verfolgt und blutig unterdrückt wurde und
Helden, Dulder und Märtyrer besaß.
Meine Mutter sah es gern, daß ich in ihrem Büchlein,
und später auch in ihrer Bibel las, und wenn ich ihr
Fragen stellte, war sie geduldig und mitteilsam. Daß
eines ihrer Kinder diesen Zug zum Geistlichen in sich
habe, tat ihr wohl, und ich glaube, sie hat mich, noch
lang ehe ich selbst auf solche Gedanken kam, heimlich
zum Theologen und Prediger bestimmt. Sie brachte
mir etwas später auch die Anfänge des Lateins bei,
und wenn sie auch die fremdartigen Schriftzeichen
über des harfenden Königs David Haupt nicht lesen
konnte, so wußte sie doch, daß sie hebräisch seien,
und daß man diese altehrwürdige Sprache in den
theologischen Schulen lerne, wie sie mir späterhin
auch das auf jenem Kupfer dargestellte Tübingen
und seine Hochschule oft verlockend geschildert hat.
Daß ein Knabe den Beruf finde, den er nicht bloß
auszufüllen imstande ist, sondern der das in ihm

schlafende Traumbild zu erwecken und ins Leben zu gestalten vermag, der ihn nicht nur nährt und ehrt sondern steigert und erfüllt, dazu müssen viele Umstände zusammentreffen, wenn es glücken soll. Man neigt dazu, aus den Lebensläufen der sogenannten Genies den beruhigenden Schluß zu ziehen, daß schließlich noch jedesmal der wirklich Starke und Begabte seinen Weg gefunden und seine Werke geschaffen habe. Das ist ein feiger Trost und ist eine Lüge; es sind in Wahrheit viele jener Berühmten trotz hoher Leistungen nie das geworden, wozu der Wurf und die Berufung in ihnen lag, und es sind auch zu allen Zeiten viele Begabte nicht auf den ihrer würdigen Weg gekommen, und viele Lebensläufe gebrochen und ins Elend getrieben worden. Darum soll nicht bestritten werden, daß auch ein mißglücktes Leben von manchem nicht bloß ertragen, sondern mit dem Amor Fati umfangen und geadelt werden kann.

Vermutlich haben meine Eltern schon früh sich an den Gedanken gewöhnt, daß ich nicht den Beruf meines Vaters erlernen werde. Ich war ein begabter Knabe, hatte aber wenig Ehrgeiz und bin weit mehr eine Künstler- als Gelehrtennatur. Das Natürlichste und Hübscheste für mich wäre der Beruf eines Musikanten gewesen. Es hätte nur einer Umgebung mit höherer musikalischer Kultur bedurft, ich hätte nur in einer Stadt mit Theater, Konzerten und guter Kirchenmusik aufwachsen müssen, so hätte dieser Beruf mir offen gestanden. Aber an diese Möglichkeit dachten weder meine Eltern noch ich selber, sie war für uns nicht vorhanden. Es gab in unsrer Stadt keine

Berufsmusiker, der Organist war im Hauptberuf Lehrer, und niemand von uns hatte davon gehört, daß ein junger Mensch sich zum Musiker ausbilden lassen und damit sein Brot, ja Erfolg und Ruhm finden könne. Es gab zwar auch bei uns Musikanten, das waren die Spielleute, die zu den Festen und zum Tanz aufspielten, aber sie waren kaum besser denn als Bettler und Vagabunden angesehen, sie zogen herum und suchten ihr karges Brot, boten sich für jede Kirchweih, jede Hochzeit, jeden Tanzsonntag zum Aufspielen an, galten für liederlich und versoffen, und keine ehrbare Bürgerin hätte ihren Sohn in diesen verachteten Stand weggeben mögen. Mein guter Vater hatte ja selbst als junger Bursche, wenn schon bloß zu seinem eigenen Plaisir, häufig in den Tanzmusiken mitgeblasen, und hatte auf seinen Platz unter den Spielleuten an jenem Tag feierlich verzichtet, an dem er das Jawort seiner Braut bekommen hatte. Auch ich selber blies schon früh die Flöte und lernte bald auch das Lautenspiel, aber ich hätte verwundert den Kopf geschüttelt, wenn mich jemand gefragt hätte, ob ich ein »Schnurrant« werden wolle. Hätte ich aber schon als Knabe davon gewußt, daß es möglich sei bei guten Meistern die Musik zu lernen, in einer Residenz auf die Bank einer großen, herrlichen Orgel oder vor das Kapellmeisterpult einer Oper oder an den Platz eines Kammermusikers zu kommen, so hätte ich vielleicht nie einen anderen Lebenswunsch und Zukunftstraum in mir großgezogen. So aber nahm die Musik zwar in meinem Herzen vielleicht die erste Stelle ein, nicht aber in meinem Bewußtsein. Ich wußte nicht, daß es Menschen gebe, deren Leben ernsthaft und heilig im Dienst der Musik stand so wie das Leben andrer im Dienst des Herzogs, oder der Kirche, oder des Gemeinderats. Drei Arten von Musik kannte ich: Das Spielen und Singen zu Hause mit den Meinen, das war herrlich, aber es war eine Sache des Feierabends, ein Zeitvertreib; dann die Musik in der Kirche, die bestand einzig aus den kurzen Vorspielen und Nachspielen der Orgel, sie war ein bescheidenes Stückchen des Gottesdienstes und hatte zu schweigen, sobald der Prediger erschien; und endlich die Musik der Spielleute, die Groschen-musik bei Hochzeiten und Jahrmärkten. Die war nicht ernst zu nehmen, wenn auch so ein Geiger oder Oboist noch so gut spielte. So kam ich denn nie auf den Gedanken, ein Musikus zu werden. Und da es meiner Mutter Ehrgeiz war, mich einst in einem hö-heren Stande zu sehen als dem des Vaters, galt es all-mählich, ohne daß der Vater viel dazu sagte, für aus-gemacht, daß ich Theologie studieren sollte. Ich selbst war damit ganz zufrieden.

Und so wurde ich denn, ich glaube es war in meinem zehnten oder elften Jahr, aus der Schule genommen und dem alten Präzeptor Roos anvertraut, der schon manchem Knaben das Latein beigebracht und ihn für die gelehrten Schulen vorbereitet hatte. In der letzten Zeit vor diesem Entschluß suchte meine Mutter des öfteren den Spezial Bilfinger auf, der sie beriet und in ihrem Mut bestärkte, und einmal erschien er selber bei uns, als wir alle eben bei der Suppe saßen, und brachte den Eltern einen Beitrag von zehn Gulden für mein erstes Lateinjahr samt der Zusage, auch in den kommenden Jahren bis zu meiner Aufnahme in eine theologische Schule diesen Beitrag zu leisten, er hatte ihn bei der Verwaltung einer Stiftung durchgesetzt. Mit dem Empfang dieser zehn Gulden verwandelte sich für meine Mutter – sie konnte vor Freude nicht weiter essen – der etwas kühne und vielleicht vermessene Plan, ihr Söhnlein studieren zu lassen, in ein legitimes und gottgewolltes Unternehmen. Wenn die ehrwürdige Wollweber-Stiftung dieses Studium unterstützte und der Spezial selber ihr diese Gulden auf den Tisch legte, dann war Gottes Segen dabei. Es kam an jenem Tag eine gewisse Feierlichkeit über unser Haus. Und da ich die Freude meiner Mutter sah, und eine so wichtige und ehrenvolle Rolle mir zugedacht war, freute auch ich mich und blähte mich ein wenig, obwohl ich vor dem Präzeptor heimlich eine große Furcht hatte und eigentlich lieber in der gewöhnlichen Schule geblieben wäre.

Die letzten paar Sommerwochen vor dem Beginn meiner lateinischen Lehrzeit, die letzten Atemzüge meiner Kinderfreiheit blieben mir tief im Gedächtnis. So klein ich noch war, es war doch ein Lebensabschnitt zu Ende, ich war eine Weile ein Gegenstand der Sorgen, Beratungen, Pläne und Hoffnungen gewesen, ich kam mir geehrt und wichtig vor, und erwartete mein neues Leben mit Neugierde und freilich auch mit großer Bangigkeit. Und nun durfte und wollte ich zuvor noch einmal Kind sein, spielen, die Zeit vertun und Ferien haben. Damit glitt ich ganz von selber wieder für eine kleine Weile auf die Seite des Vaters hinüber, mit ihm war ich wieder halbe und ganze Tage draußen, sah ihm zu und half ihm, durfte seinen Zollstab tragen, bekam eine neue Flöte von ihm geschenkt, und trug ganz neue hirschlederne Hosen, in welchen mich meine kleine Schwester Babette sehr bewunderte. Im übrigen fand sie es abgeschmackt, daß ihr Bruder studieren und »Pfaff« werden sollte, sie hatte davon reden hören, war aber der Meinung gewesen, der Vater werde das nicht dulden. Auch sie wurde manchmal mitgenommen, wenn der Vater bei gutem Wetter mit mir auszog, und wenn wir uns müdgelaufen und unter den Tannen im Moos geruht und unser Mittagsbrot mit Milch und Beeren verzehrt hatten, dann sangen wir zwei- und dreistimmig die schönen Volkslieder. In einem kalten klaren Bach zwischen den Steinen und Farnwedeln lehrte der Vater mich die Forellen belauern, die er mit den Händen zu fangen verstand, und der Mutter brachten wir einen Strauß von Waldblumen oder Töpfe voll Beeren heim. Alle unsre Nachbarn, ja die halbe Stadt wußte davon, daß der kleine Joseph Knecht Latein lernen und studieren sollte; man rief mich in den Gassen an, man lobte mich und fragte mich aus, gratulierte mir, schenkte mir einen Wecken, eine Handvoll Kielfedern, ein Stück Kirschenkuchen, manche auch warnten mich spaßhaft vor dem baculus des Präzeptors. Der Schmied, dessen Amboßklang unsre Gasse erfüllte, rief mich zu sich in die hohe rußige Werkstatt, in deren Tiefe die Esse glühte, er gab mir seine schwarze, harte Riesenhand, lachte mich an und sagte: »Also Latein willst du lernen und Pfaff werden? Schau, Büble, darauf geb ich keinen Dreck, und der Heiland auch nicht, der hat selber kein Latein gekonnt. Wenn du einmal groß bist und dir die Bäfflein umbindest und auf die Kanzel steigst, dann vergiß du nicht, daß dein Vater ein braver Handwerksmann war und daß das so viel oder mehr ist als ein Studierter. Na, erschrick nicht so, es ist nicht bös gemeint, aber es ist schad um dich. So, und jetzt warte einen Augenblick.« Damit lief er aus der Werkstatt, und blieb eine Weile aus. Ich war allein zurückgeblieben, und war durch diese gutmütig-zornige Rede ein wenig erschreckt und eingeschüchtert. Aber da der Schmied nicht sogleich wiederkam und ich so allein in der großen totenstillen Werkstatt stand, konnte ich einem neugierigen Verlangen nicht widerstehen: ich nahm von der Werkbank einen kleinen leichten Hammer, der da lag, und klöpfelte damit ganz sachte auf den Amboß, dessen Stimme ich ja von Kind auf so gut kannte. Es gab einen wunderbaren, vollen und süßen Klang, dem horchte ich nach bis er ganz verhallt war, dann klopfte ich nochmals ganz leise, und horchte, und so noch mehrere Male, bis der Meister wieder hereinkam. Er trug etwas Weißes in seiner dunklen Hand, und als er sie öffnete, war es ein großes Gänseei, das schenkte er mir. Ich kam ganz verwirrt mit meinem Ei nach Hause, brachte es der Mutter, verschwieg ihr aber die Reden des Schmiedes, ich wußte, daß sie sie sehr gekränkt hätten.

Schnell war diese kleine Festzeit vorüber, eines Morgens in kühler Frühe brachte die Mutter mich zu dem Herrn Präzeptor Roos, und trug als Einstandsgeschenk ein Körbchen voll Erbsen und Spinat bei sich. In der Stube des Präzeptors mußte sie mich zurücklassen, ich blickte ihr lange nach und sie nickte mir noch im Weggehen freundlich zu. Der Präzeptor Roos war schon sehr alt und seine Hand zitterte so sehr, daß er jedesmal eine ganze Weile brauchte, bis er Griffel oder Feder an der rechten Stelle angesetzt hatte, dann aber schrieb er langsam und genau seine schnurgeraden Reihen von vollkommenen, wunderbar schönen und ebenmäßigen Buchstaben oder Zahlen hin. Er war ein höchst berühmter und gefürchteter Lehrer gewesen, von seinen vielen Schülern waren zwei Prälaten geworden, einer Hofastronom, sechs Speziale, und viele Diakone, Dorfpfarrer und Lateinlehrer. Feurig und voll Leidenschaft im Lehren war der Greis noch immer, doch ging es jetzt in seiner Stube ruhiger zu als einst in seiner Lateinschule, wo des Prügelns, Scheltens und wütenden Hin- und Herrennens an manchen Tagen kein Ende gewesen war. Alle Schüler hatten den cholerischen Mann gefürchtet, manche ihn gehaßt, einer hatte ihn vor Jahrzehnten in der Notwehr so in die linke Hand gebissen, daß man noch jetzt die derbe Narbe sah. Zu meiner Zeit hatte er das Prügeln aufgegeben, beinahe wenigstens, war aber noch immer ein strenger, gewaltiger und eifersüchtiger Herrscher und hielt mich, seinen einzigen und letzten Schüler, in genauer Zucht. Dennoch hatte ich es im ganzen gut bei ihm, und das verdankte ich meiner Mutter, die es verstand mit dem wunderlichen alten Manne umzugehen und die er mit einer altmodischen Ritterlichkeit behandelte. Des weiteren aber war der Präzeptor nicht nur Lehrer, sondern auch Musiker, er hatte jahrzehntelang in seiner Heimatstadt den Organistendienst versehen und den Chor der Lateinschüler geleitet. Es war eine Gefälligkeit gegen meine Mutter, daß er in seinem Ruhestand nochmals einen Schüler annahm. Aber bald entdeckte er, daß ich musikalisch sei, nun begann er auch Musik mit mir zu treiben; das war für mich ein großes Glück und machte mir den strengen Lehrer allmählich lieb. An die täglichen Schulstunden, welche nicht immer friedlich und angenehm waren, schlossen sich je und je, und immer häufiger, noch Stunden des Musizierens an, bei welchen es selten zu Plagereien, und oft zu hohen Festen und Genüssen kam.

Vorerst war die Hauptsache das Latein. Es mußte die Grammatik gelernt und das Übersetzen aus dem Latein ins Deutsche und umgekehrt geübt werden, es mußte lateinisch gesprochen, geschrieben, auf Lateinisch disputiert und lateinische Hexameter, Disticha und Oden gemacht werden: ein Endziel, das ich im ersten Jahr für ganz und gar unerreichbar hielt. Mit dem Griechischen wurde erst zwei Jahre später begonnen, daneben wurde auch Arithmetik getrieben. Ein Geruch der Gelehrsamkeit wehte gelegentlich auch in unsre Musik hinüber, zum Beispiel übertrugen wir eine Anzahl deutscher Kirchenlieder ins Lateinische und sangen sie von da an mit Vorliebe in dieser Gestalt.

Jeden Morgen war ich fünf Stunden in dieser Schule, allein mit dem greisen Scholarchen in seiner dunklen

Stube, am Nachmittag nochmals zwei oder drei Stunden, die Musizierstunden nicht gerechnet. Der Lehrer besaß ein Cembalo, an das er bei guter Laune mich zuweilen ließ, und das ich vor allem stimmen lernen mußte, und er verschaffte mir leihweise eine Geige, deren Fingersatz er mir beibrachte und auf welcher ich zu Hause so lange übte, bis ich mit meinem Meister zusammen Suiten und Sonaten spielen konnte. Mein glühendster Wunsch hingegen, nämlich das Orgelspiel zu lernen, blieb noch jahrelang unerfüllt; für den alten Mann war längst die Orgel zu mühsam geworden, und ich war noch zu klein, und an Zeit fehlte es ohnehin.

Es war eine recht harte und strenge Schule, der ich unterzogen ward, und wenn ich es mir überlege, ist mir davon fürs ganze Leben etwas hängen geblieben, und leider nicht bloß das Latein. Ich wurde schnell ein kleiner Student und Gelehrter, altklug und recht hochmütig, und es ging mir viel von meiner Kindheit und meinem Kindersinn verloren. Aber zugleich, so widersprüchlich es klingt, wurde durch die gelehrten Schulen ein gewisses Kindbleiben über das natürliche Alter hinaus in mir begünstigt, und ich habe das gleiche auch an anderen wahrgenommen. Das einseitige und übertriebene Lernen nämlich trieb mich allzu früh aus der unschuldigen Freude und Freiheit der Kindheit aus, und hinderte mich doch zugleich, eine Menge von kleingroßen Erfahrungen zu machen, die dem Kinde sonst sein Leben und Wissen bereichern und seine Welterfahrung der des Erwachsenen allmählich annähern. Der Eintritt in die Studien war

der Eintritt in eine alterslose und durchaus männliche
Welt, in die der Gelehrsamkeit, ihr Adept war vom
alltäglichen Leben ausgeschlossen, wie man denn bei
richtigen »Gelehrten« es häufig beobachten kann, daß
sie als Knaben und Jünglinge einen Zug von altkluger Frühreife bekommen, und älter scheinen als
sie sind, und daß dann die selben altklugen, geistig
frühreifen Leute später bis ins höchste Alter eine
Weltfremdheit behalten, die sie oft wie Kinder erscheinen läßt. Diesem Schicksal entging auch ich nicht
ganz. Doch hatte ich es leichter als mancher andre.
Ich brauche da nur des Prälaten Oetinger zu gedenken, dieses frommen, weisen und hochgelehrten Mannes, welcher mir einst erzählt hat, er habe als zehnjähriger Knabe wie in der Hölle gelebt und sei durch
die furchtbare Strenge und Prügelgrausamkeit seines
Lehrers bis zu Verzweiflung und Gotteslästerung getrieben worden. So schwer hatte ich nicht zu tragen,
und ich bin der Meinung, mein Schutzengel sei hauptsächlich die Musik gewesen. Sie hat nicht bloß meinen
strengen Lehrer oft mildernd bezaubert, sie hat auch
mein eigenes Herz bewahren helfen. Ihr ist eine Urkraft und ein tiefer Heilzauber eigen, mehr als jede
andre Kunst vermag sie an die Stelle der Natur zu
treten und sie zu ersetzen. Sie hat mich vor dem Erstarren in Geistigkeit und Gelehrtentum bewahrt,
und sie hatte auch den alten Präzeptor Roos, der so
viele Schülergenerationen gedrillt und geprügelt hatte, im Kern seiner Seele weich und beweglich erhalten.
Mein Lehrer, obwohl Pedant, war ein Original, und

er hatte in den langen Jahrzehnten seiner Tätigkeit manche kleine Ablenkungen und Spielereien erfunden, mit welchen er je und je die starre Schuldisziplin unterbrach und dem Schüler etwas Abwechslung und Aufatmen vergönnte, wenn seine Aufmerksamkeit am Erlahmen war. Er hätte für pädagogische Systeme, wie sie zur Zeit verkündet werden, für ein Verbinden von Arbeit und Spiel, für individuelle Unterrichtsmethoden und all das, nicht das mindeste Verständnis und nur Spott gehabt, er war ein Unteroffizier der Wissenschaft, kannte und liebte seinen Dienst, und hätte lieber den Schüler und sich selbst des Teufels werden lassen als einen Schritt von seinem geistigen Exerzierreglement abzugehen. Aber er hatte Phantasie, und hatte in einem langen und harten Dienst gelernt, daß Schüler verstockt und dumm und schwachsinnig werden können, wenn man sie Tag um Tag und Minute um Minute überanstrengt, daß aber strenggehaltene Kinder für die kleinsten Belohnungen, für eine geschenkte Viertelstunde im rechten Augenblick, für eine winzige Abwechslung erstaunlich dankbar sein können. Schon in den ersten Wochen lernte ich eine seiner kleinen Praktiken kennen. Ich saß und schrieb Vokabeln mit einer Gänsefeder, und weil die Feder mir stumpf schien, reichte ich sie dem Gestrengen hin mit der Bitte, sie mir neu zu schneiden.

Mit seiner etwas heisern Greisenstimme sagte Roos: »Das will ich wohl tun, adulescentule, aber nächstes Jahr wirst du elf, und dann zwölf und dreizehn und vierzehn Jahre alt, und dann zwanzig und dreißig und fünfzig, und wenn du dann eine abgeschriebene Feder hast und nicht weiterschreiben kannst, dann, o Servus puer, könnte es wohl sein, daß der alte Roos das Federnschneiden satt gekriegt und seine Gebeine zur Ruhe gelegt hat. Und wer soll dir dann deine Federn schneiden? Glaubst du, du werdest dein Leben lang den alten Roos neben dir sitzen haben? Nein, du Unmündiger, sondern eines Tages, früh oder spät, wirst du selber deinen Domestiken machen müssen. Also paß auf: jetzt werde ich dir ein erstesmal zeigen, wie der Freund der Literatur seine Kielfeder, pennam anseris, schneidet. Du schaust mich an, homuncule, novarum rerum cupidus, und denkst in deinem lieben Gemüte: das werden wir gleich haben! Wir werden es aber nicht gleich haben, und auch in einer Woche und in einem Monat nicht, auch nicht in einem Jahr. Sondern du wirst, viele Generationen von Vorgängern nachahmend, die bittere Erfahrung machen, daß das Schneiden einer Gänseschwungfeder eine Kunst sei, und daß die ars longa sei. Also ich will es dir zeigen, Knabe. ›Ein erstesmal‹, habe ich gesagt und es werden zu deiner Beschämung hundert Male folgen. Du wirst noch oft mit diesem widerspenstigen Objekt kämpfen, und wirst des alten Roos dabei gedenken.«

Er nahm mir die Feder ab, sie war schon recht abgenutzt und dürftig, er griff zum Federmesser – »und auch das Schleifen eines solchen Messers wirst du, volente Deo, einst erlernen«, sagte er dazu – und so hoffnungslos das Herumzittern seiner Greisenhand mit dem kleinen scharfen Messer aussah, nach einer verzitterten Minute hatte er angesetzt, und schnitt dicht vor meinen Augen die Federspitze ab, um mir dann zu zeigen, wie sie neu zu schneiden sei. Es begann damit ein neuer, manchmal peinlicher, manchmal höchst reizvoller Unterrichtszweig: das Federnschneiden, das manche matt gewordene Lektion anregend unterbrach. Ich erinnere mich einer solchen Stunde. Da hatte ich unter seinen Augen meine Federspitze zugeschnitten und wieder zugeschnitten, hatte sie probiert, neu geschnitten, wieder probiert, wieder geschnitten, und der Alte weidete sich an meinen Bemühungen und meiner Enttäuschung und erzählte mir dann aufs eindringlichste die Geschichte von Oknos, dem Seilflechter, dessen Seil von der Eselin immer wieder abgenagt wird.

Zu meinem Bedauern hielt mein Präzeptor streng darauf, daß seine verwitwete Tochter, die ihm haushielt, mich nicht für tägliche Handreichungen in Küche und Garten, für Botengänge und dergleichen benütze; dies geschah also nur selten und hintenherum. Es gab aber Ausnahmen, und für mich waren sie jedesmal höchst erwünschte Festlichkeiten. Bei besonderen Anlässen, welche Kräfte und Verstand der Weiber übersteigen und die Mitarbeit des Hausvaters fordern, führte Roos das Regiment, ordnete an und kommandierte, und ich mußte der Frau nach Kräften helfen. So etwa wenn das Brennholz für den Winter angefahren wurde, oder das Obst eingetan und das Sauerkraut, oder der Birnenmost gekeltert oder dergleichen.

Von Religion war im Unterricht kaum die Rede, nur

eben daß Katechismus und Choräle auswendig gelernt wurden. Auf Erbauung wurde kein Wert gelegt. Dafür hatte man die Musik, und bald entdeckte ich, daß mein Lehrer Schätze besaß. Er hatte sogar einst selber Kantaten komponiert, und besaß zwei Truhen voll handgeschriebener Noten, meist Kirchenmusik, vom alten Palestrina bis zu den neuen Orgelkünstlern Moffat und Pachelbel. Mit einer gewissen Ehrfurcht nahm ich wahr, wie die älteren dieser Notenblätter, welche zum größten Teil der Präzeptor mit eigener Hand abgeschrieben hatte, schon die Bräune und Welke ganz alter Bücher an sich hatten. Es waren übrigens auch einige Hefte aus sehr alter Zeit darunter, welche mir bei Gelegenheit mit Erläuterungen vorgezeigt wurden, liturgische Gesänge mit lateinischem Text, mit nur vier statt fünf Notenlinien und altertümlich steifen, rautenförmigen Notenzeichen. Als ich etwas fortgeschritten war und Roosens Vertrauen besaß, stand der ganze Schatz mir zur Verfügung, über jeden Sonntag nahm ich das eine oder andre Blatt und Heft mit nach Hause und schrieb es mir sorgfältig ab; jeden Groschen, dessen ich etwa habhaft wurde, gab ich für Papier aus, das ich erst mit den Notenlinien und dann mit den Abschriften von Chorälen, Arien, Motetten, Kantaten, Sonaten, Suiten etc. beschrieb, früh schon einen Schatz von Seelenbrot fürs Leben sammelnd.

Zu Hause hatte ich mit den gelehrten Studien immer noch bis in den Abend zu tun, man respektierte dort meinen Platz am Tisch, wo ich meine Übungsstücke übersetzte, die Vokabeln und Konjugationen lernte.

Da saß ich mit meinem Latein und war wie ein Fremder zwischen meinen Lieben geworden, oft sehnte ich mich bitter in das alte Leben zurück. Viele Stunden des Tages war ich fort, in der Wohnstube nahm ich mit meinem Schreiben und Lernen am abgeräumten Tisch den andern den Platz und die Munterkeit weg und war immerzu mit Sachen beschäftigt, die die andern nicht kannten, das machte mich dem Hause beinah fremd und untreu, ohne daß ich doch Schuld daran gehabt hätte. Die Mutter freilich sah nichts lieber als meinen Schülerfleiß, aber der Vater ließ es mit einer Art von schweigender Traurigkeit geschehen, die ich spürte. Wer aber nicht schwieg, das war meine Schwester Babette. Sie fühlte sich, seit ich zum Präzeptor ging, zurückgesetzt und ihres Bruders beraubt, und nicht selten, wenn ich nach Hause kam und, statt mit ihr zu spielen, mich mit meinem Schreibkram am Tisch festklebte und auf Befehl der Mutter nicht gestört werden sollte, verlangte sie heftig ihr Recht, sie haßte den Präzeptor, haßte die Bücher und das Latein, haßte das Alleinbleiben, das Stillsein und Wartenmüssen, bis der Herr Bruder endlich fertig und wieder für sie da war. In heller Empörung unternahm sie manchen Racheakt gegen das Latein, oft versteckte sie meine Grammatik, einmal zündete sie das Herdfeuer mit meinem Schulheft an, einmal schmiß sie das Tintenfaß von der Laube in die Schlucht hinab. Wenn ich mit den Aufgaben fertig war und nach ihr rief, um zu spielen oder dem Vater entgegenzulaufen, dann war sie oft nicht zu finden, oder war so verschlossen und trotzig, daß ich lange schmeicheln und schöntun mußte, bis sie mich wieder gelten ließ. Sie liebte mich und kämpfte um mich. Mehr und mehr aber verhärtete sie sich gegen die Mutter, ja sie sah ihre Feindin in ihr, und je strenger die Mutter gegen sie wurde, desto unverhohlener hielt sich Babette zum Vater. Dieses Kind mit dem rotblonden unbändigen Haar wußte sich oft kräftig durchzusetzen. Zum Beispiel brachte sie es dahin, daß beim häuslichen Gesang neben den Chorälen auch wieder die Volkslieder und weltlichen Arien zu Ehren kamen. Immer wieder stimmte sie sie an, und wenn die Mutter sagte, wir alle sängen lieber Choräle, dann sagte sie etwa: »Nein, du bist es, die lieber Choräle singt, du allein! Der Vater singt viel lieber die andern Lieder, das weiß ich genau, und der Josef hat sie auch gern, und wenn wir sie nicht singen sollen, dann singe ich auch bei den Chorälen nicht mit, und wenn du mich auffrißt!« Sie hatte viel Kraft und Eigensinn, sie war nicht sanft und nachgiebig wie der Vater, sie war voll Willens wie die Mutter, aber anderen Willens als sie. Es war ein Kampf, und zum Glück hielt auch hier die liebe Musik die Menschen beisammen. Man sang wieder Volkslieder, wenn auch nicht die ganz weltlichen, man stritt und zürnte miteinander, aber man sang, meistens spielte ich die Geige dazu. Damit konnte ich meine Schwester immer wieder aussöhnen und für mich gewinnen, daß ich gern mit ihr sang und ihr immer neue Noten mitbrachte, daß ich ihr die Notenschrift und auf ihre Bitte auch das Spielen auf der kleinen Flöte beibrachte.

Unversehens war es so weit, daß ich in die theologischen Schulen eintreten konnte. Schon sprach ich ganz artig Latein und las den Cicero geläufig, schon hatte ich auch mit dem Griechischen begonnen, und nebenher viele Hefte voll Noten abgeschrieben, auch das Federnschneiden ging jetzt leidlich, und es kam der Tag, an dem der alte Roos mich entließ. Der gelehrte Greis hatte nun einige Jahre seine Studierstube mit mir geteilt und mich gern gehabt, der Abschied ging ihm so nahe, daß er sich, um keine Rührung zu zeigen, in der letzten Stunde Mühe gab, sich ganz besonders grob und rauh zu zeigen. Wir standen an seinem Schreibtisch und er hielt mir eine Schlußpredigt, und uns beiden steckte die Rührung und Abschiedsbangigkeit wie eine Kugel im Halse. »Mit dem Latein geht es ja seit einem Jahr ganz leidlich, nun ja, was ahnt so ein grünes Bürschchen von den Mühen, die es den Lehrer gekostet hat! Und am Griechischen wirst du noch hart zu beißen haben, Männlein, der Präzeptor Bengel wird sich ja wundern, was für zweite Aoriste du manchmal erfindest! Nun ja, wie gesagt, es ist jetzt zu spät, dir Vorwürfe zu machen; du läufst mir jetzt fort, Springinsfeld, und meinst, die Hauptsache sei getan, aber es werden andre noch schwer an dir hobeln müssen, bis du dich sehen lassen darfst. Verdient hast du es eigentlich nicht, aber ein Abschiedsgeschenk will ich dir doch geben. Da!« Damit griff er einen Notenband, der zu diesem Zweck bereit lag und eine Sammlung älterer französischer Chansons enthielt, und knallte ihn derb auf den Tisch. Und als Knecht*, dem Weinen nahe, seine Hand ergreifen wollte, um sich für die kostbare Gabe zu bedanken, ging er nicht darauf ein, sondern setzte nochmals an: »Ach, zu bedanken ist da nichts, was braucht ein alter Mann noch so viel Noten? Dein Dank soll darin bestehen, daß du was Rechtes lernst und wirst und mir keine Schande machst, basta. Die Chansons sind nicht schlecht, diese Leute haben noch etwas von den Stimmen verstanden. Übrigens, damit du der Musica nicht untreu wirst, habe ich dir auch noch zwei Orgelstücke zugedacht, neuere Sachen, von einem Mann namens Buxtehude, den hierzuland niemand kennt, der aber schreiben kann und Einfälle hat.« Und wieder schmiß er einen Notenband auf den Tisch, und als er sah, daß Knecht* zu heulen begann, hieb er ihm schwer auf die Schulter und schrie: »Vade, festina, apage, man heult nicht!« Damit schob er ihn zur Tür hinaus, die er zuschmetterte, um sie dann gleich wieder zu öffnen und hinauszurufen: »Es ist ja nicht für immer, weichlicher Knabe. Wir sehen uns doch wieder, Kind. In den Ferien kommst du wieder zu mir zum Musizieren. Du bist auf dem Cembalo noch keineswegs so exzellent, wie du vielleicht glaubst. Üben, Kind, üben!« Und nun schloß er die Tür endgiltig.

Es waren wieder Ferien, und ich war wieder ein wichtiger Mann, nächstens sollte ich nach Denkendorf in die Klosterschule kommen. Babette war sehr böse darüber. Sie war ziemlich groß geworden und

---

* Hier findet sich im Manuskript eine Rückkehr zur Erzählung in der dritten Person, wie in der ersten Fassung.

trug Zöpfe, wir musizierten jetzt viel miteinander. Einmal starrte sie mich lange an, schüttelte den Kopf und sagte nachdenklich: »Vielleicht wirst du jetzt wirklich ein Pfaff, ich habe bisher noch immer nicht dran geglaubt.«

Ich schalt sie, sie solle nicht immer »Pfaff« sagen, und was ihr denn die Pfarrer getan hätten, daß sie so bös auf sie sei? Unser Großvater sei ja auch einer gewesen.

Sie rief: »Ja, und darauf ist die Mutter heut noch stolz und spielt die Feine und kommt sich besser vor, und ißt doch das Brot, das unser Vater mit seiner Arbeit verdient.«

Ihre blaugrünen Augen blitzten böse. Ich erschrak; so voll Haß war der Ton, in dem sie von der Mutter sprach.

»Um Gotteswillen«, rief ich, »so darf man nicht sprechen!« Sie stand auf und sah mich funkelnd an, offenbar bereit zu noch stärkeren Schmähreden. Aber plötzlich wandte sie sich, begann auf einem Fuß zu hüpfen und mir »Rübchen zu schaben«, sie umtanzte mich wie eine Hexe und sang dazu nach einer Choralmelodie ein paarmal die Worte:

Pfaff, Pfaff, Pfaff,
Bist ein armer Aff!

dann lief sie weg.

Es waren wieder Ferien, es war vieles wieder ähnlich wie damals, ehe meine Lateinerzeit begonnen hatte, und auch diesmal bekam ich beim Schneider Schlat-

terer eine neue Gewandung gemacht, aber diesmal
war es nicht ein Hirschlederhöschen, diesmal war es
ein schwarzer Seminaristenanzug. Als ich ihn das erstemal anhatte, mißfiel er mir, und es mißfiel mir
auch die Freude, die meine Mutter an ihm hatte, und
daß sie sagte: »Wenn du wieder ein neues Kleid bekommst, dann ist es vielleicht schon für Tübingen.«
Der erste Abschied von den Eltern und von der Heimat fiel mir gar schwer, aber ich fand im Kloster
Denkendorf nicht bloß das, was ich in jedem Seminar
gefunden hätte: liebe Kameraden, eine strenge Internatszucht und einen gediegenen Unterricht: Ich fand
etwas Seltenes: einen begnadeten und außerordentlichen Mann als Lehrer. Dieser hieß Johann Albrecht
Bengel, er war zugleich Klosterpräzeptor und Prediger in Denkendorf. Als ich sein Schüler wurde, war
Bengel noch nicht alt, doch als Lehrer schon berühmt,
und wußte, obwohl ein großer Philologe, allen Berufungen und Beförderungen in seiner stillen Bescheidenheit sich zu entziehen, er blieb beinah dreißig
Jahre Präzeptor in Denkendorf und rückte erst dann
ohne sein Zutun rasch in die höchsten Ämter und
Würden. Aber auch als kleiner Präzeptor übte er während einer Generation einen stillen aber tiefen Einfluß,
und nicht nur auf seine jeweiligen Schüler, deren vielen er zeitlebens als Lehrer, Beichtvater und Tröster
beistand, sondern auch bis ins Ausland drang sein
Ruf als großer Gelehrter und unbestechlicher Verwalter des Wortes.
Als er das erstemal mit mir ins Gespräch kam, fragte
er mich: »Was ist dein Vater?« – »Brunnenmacher«,

sagte ich. Bengel sah mir prüfend ins Gesicht und sagte dann leise, in seiner bedächtigen Art die Worte suchend und wählend: »Werde du, was dein Vater ist, werde ein guter Brunnenmacher! Ich meine es im Geistigen und bemühe mich selber, einer zu sein. Das Wort Gottes und die Lutherische Lehre sind die Brunnenstube, aus der unser Volk sein Lebenswasser bekommt. Diese Brunnenstube rein zu halten, das ist eine stille Arbeit, auf die niemand achtet und die nicht von sich reden macht, aber sie ist heilig und wichtig wie wenig andre.« In den kargen Stunden, die ihm seine beiden Ämter frei ließen, arbeitete Bengel in vieljähriger Treue und Geduld an einer Ausgabe des Neuen Testamentes im Urtext, sorgfältig die reinsten, ältesten, verläßlichsten Quellen erspürend, Wort um Wort beklopfend in gewissenhafter philologischer Kleinarbeit, und es fehlte unter seinen frommen Freunden nicht an solchen, welchen es schade und sündliche Vergeudung schien, daß auf eine so kniffliche und im Grund entbehrliche Gelehrtenarbeit ein berufener Seelsorger und Lehrer seine kostbaren Tage und Jahre verwende, er aber ließ sich nicht beirren, und daß er sich dies »Reinhalten der Brunnenstube« zur freiwilligen Arbeit wählte, ist bezeichnend für ihn. Die Kirche, welcher er angehörte und diente, kannte keine Heiligsprechung, unter ihren heimlichen Heiligen aber steht Bengel obenan.

Wenn dieser Lehrer mit seinem stillen knochigen Gesicht und den guten Augen frühmorgens zum Morgengebet und der ersten Lektion vor seine Schüler trat, dann hatte er nicht nur zuvor einige Nachtstunden über seinen Bibeltexten und seiner großen, teils gelehrten, teils seelsorgerlichen Korrespondenz gesessen, er hatte auch schon in seiner Schlafstube den Tag mit einer Selbstprüfung und einem Gebet um Ausdauer, Geduld und Weisheit begonnen, und brachte eine stille Wachheit und Nüchternheit mit, aber auch eine sanft ausstrahlende Heiligung und Weihe, deren Wirkung nur wenige Schüler verschlossen blieben. In seiner Landeskirche, die gleich allen andern lutherischen Kirchen zu einer etwas pharisäischen Orthodoxie und einem gewissen Kastendünkel der Priester erstarrt war, gehörte er zu den ersten Jüngern und Vorbildern jener neuen Art von Christlichkeit, die man Pietismus nannte. Auch diese kraftvoll quellende Bewegung ist, wie jede, später im Lauf von Generationen teils erlahmt, teils ausgeartet. Damals aber war ihr blühender Frühling, und etwas von seiner Frische und Zartheit schwang in der Ausstrahlung dieses Mannes, dessen Natur viel mehr zu Klarheit, Besonnenheit und Ordnung als zu Empfindsamkeit und Schwärmerei neigte.

Zwischen dem Unterricht bei Präzeptor Roos und dem bei Bengel war in der Methode kein großer oder gar kein Unterschied, hier aber war Lernen und Gelehrsamkeit nicht Selbstzweck mehr, sondern ganz und gar auf ein Ziel gerichtet, auf das höchste, den Gottesdienst. Die alten Sprachen hatten wohl ihre profanen Autoren und ihre humanistischen Reize, und Bengel selbst sprach gern und gewandt sowohl Latein wie Griechisch, aber in ihm, dem großen Philologen, strebte alle Philologie ins Theologische, war

Einführung in Gottes Wort und Erziehung zur treuesten Ehrfurcht vor diesem Wort. Und wenn ein Schüler zuzeiten nicht vorwärts kam, so wurde er nicht nur zum fleißigern Lernen, sondern ebensosehr zum Beten ermahnt, und wo es nötig schien, nahm der Klosterpräzeptor den Jüngling zu sich und betete selbst mit ihm. Sein Ernst und seine Bescheidenheit, sein vollkommener Mangel an Lehrerhochmut ließen es zu, daß er ohne Einbuße an Autorität sich gelegentlich vor den Schülern weit herablassen, ja demütigen konnte. Einmal sagte er zu einem seiner früheren Schüler, er betrachte jeden seiner Klosterschüler mit Hochachtung und sehe in ihm etwas Edleres und Besseres als er selbst sei, denn angesichts dieser jungen Angesichter empfinde er oft mit tiefem Schmerz, wie rein und unbeladen diese Seelen noch seien, während er selbst an sich und seinem Leben schon so viel vergeudet, verpfuscht und verdorben habe.

Auch in diesen zwei Denkendorfer Jahren wurde ich der Musik nicht untreu, ich übte das Violinspiel weiter und warb gemeinsam mit einem begeisterten Kameraden unter den Mitschülern, bis wir ein doppelt besetztes Sängerquartett beisammen hatten. Aber wichtiger als dies und als die Studien war der Eindruck, den Bengels Wesen auf mich machte. Dieser Verehrungswürdige, so wollte mir scheinen, war im Besitz und Genuß der wahren Kindschaft Gottes, das Gottvertrauen strahlte wie ein sanftes frohes Licht aus ihm.

Mehrere Schüler nun beschlossen untereinander, denselben Weg zu gehen wie ihr Lehrer, sich in Gebet und Selbstprüfung jeden Tag zu reinigen und zu Gefäßen der Gnade zu machen. Zu ihnen gehörte auch ich, wir lasen Arnds Buch vom Christentum, schrieben Bengels sonntägliche Predigten nach und sprachen sie miteinander durch, beichteten einander Vergehungen und gelobten uns der Nachfolge des Gekreuzigten.

(Hier endet das Manuskript)

Anmerkung der Herausgeberin

Der Lebenslauf, welcher hier der vierte genannt wird, wäre, wenn er beendet und ins Glasperlenspiel eingefügt worden wäre, der dritte gewesen (wie auch das handschriftliche Notizblatt besagt), er wäre auf den »Beichtvater« gefolgt. Da der dritte der »indische« wurde, soll der 1965 zuerst veröffentlichte aus dem 18. Jahrhundert hier der »vierte« genannt werden.

Wie manchmal hat der Dichter auch hier zuerst in der dritten Person erzählt. Dann brach er ab und fing die Erzählung in der Ich-Form neu an.

So ist auch das Fragment »Gertrud« in der dritten Person geschrieben, die endgültige Fassung dann in der Ich-Form – wie die Lebensläufe des Peter Camenzind, Peter Bastian, Demian; auch der Steppenwolf, der Kurgast, der Held der Nürnberger Reise und der Morgenlandfahrt erzählen ihre Geschichte selbst. Beim Glasperlenspiel bilden die in der dritten Person erzählten drei Lebensläufe dadurch, daß sie von Knecht erfunden und Inkarnationen seiner selbst sind, eine Art Ersatz für die Ich-Erzählung.

Im Jahr 1934 schrieb Hermann Hesse an seine Schwester Adele, daß er noch einige Auskünfte von Carlo Isenberg erwarte, »über Fragen, die den Plan zu meinem Buch angehen. Denn wenn auch die Einleitung zum Glasperlenspiel unmöglich und wertlos geworden und noch durch keine andre ersetzt ist, so sind die Gedanken dran doch weiter gegangen, und ein Bruchstück ist auch geschrieben worden, das ich Dir einmal zeigen werde. Unter andrem soll das Buch mehrere Lebensläufe des selben Mannes enthalten, der zu verschiedenen Zeiten auf Erden lebte oder doch solche Existenzen gehabt zu haben glaubt. Das erste Stück davon ist geschrieben, da ist er Regen und Wettermacher vor etwa 20 000 Jahren bei einem primitiven Menschenstamm. Eine der späteren Existenzen wird die eines schwäbischen Theologen aus der Zeit Bengels und Oetingers sein, daran bin ich seit Monaten, d. h. erst an Vorbereitungen, zur Zeit habe ich aus einer Zürcher Bibliothek sämtliche Bände von Spangenbergs Leben des Grafen Zinzendorf bei mir und viele andre solche Sachen, auch ein württembergisches Gesangbuch vom Jahr 1700 mit dem Titel ›Geistliche Seelen-Harpffe oder Württembergisches Gesangbüchlein, darinnen enthalten etc. etc. etc. nebst einer Vorrede Weyland D. Andr. Adam Hochstetter.‹ Falls Du einmal Gelegenheit hast, erkundige Dich darüber, ob eine Möglichkeit besteht, daß die Tübinger Bibliothek mir zeitweise Bücher leiht.« . . .

Zu diesem Lebenslauf schrieb H. H. im Januar 1955 an Rudolf Pannwitz: ». . . Es kam mir eines Tages, manche Jahre bevor ich mit dem Versuch einer Niederschrift begann, die Vision eines individuellen aber überzeitlichen Lebenslaufes: ich dachte mir einen Menschen, der in mehreren Wiedergeburten die großen Epochen der Menschheitsgeschichte miterlebt. Übriggeblieben ist von dieser ursprünglichen Intention, wie Sie sehen, die Reihe der Knechtschen Lebensläufe, die drei historischen und der kastalische. Es gab übrigens in meinem Plan noch einen weiteren Lebenslauf, ins 18. Jahrhundert als die Zeit der großen Musikblüte verlegt, ich habe auch an diesem Gebilde nahezu ein Jahr lang gearbeitet und ihm mehr Studien gewidmet als allen andern Biographien Knechts, aber es ist mir nicht geglückt, das Ding blieb als Fragment liegen. Die allzu genau bekannte und allzu reich dokumentierte Welt jenes Jahrhunderts entzog sich dem Einbau in die mehr legendären Räume der übrigen Leben Knechts . . .«

Die beiden Fassungen, 1934 geschrieben, wurden zum erstenmal veröffentlicht in Hermann Hesse, Prosa aus dem Nachlaß, Frankfurt am Main 1965.

Nachwort

I

Der fiktive Chronist des *Glasperlenspiels* erzählt uns,
daß Josef Knecht nach der Überreichung seines dritten sogenannten »Lebenslaufs« von der Erziehungs-
behörde Kastaliens aufgefordert wurde, »er möge
einen etwaigen noch folgenden Lebenslauf in eine
historisch näherliegende und reicher dokumentierte
Epoche verlegen und sich mehr um das historische
Detail bekümmern«.

Knechts eigenen Angaben zufolge hatte er danach
tatsächlich Vorstudien zu einem Lebenslauf aus dem
achtzehnten Jahrhundert gemacht. Im Gegensatz zu
den ersten drei Lebensläufen, die vor einem mehr
mythischen Hintergrund spielen 1. der prähistori-
schen Epoche (»Der Regenmacher«), 2. der Zeit der
frühen Kirchenväter (»Der Beichtvater«) und 3. des
klassischen Indien (»Indischer Lebenslauf«), wollte
Knecht im vierten als schwäbischer Theologe auftreten, der später seinen Kirchendienst zugunsten der
Musik aufgibt und »ein Schüler Johann Albrecht
Bengels, ein Freund Oetingers und eine Weile Gast
der Gemeinde Zinzendorfs« war. Zu diesem Zweck
habe Knecht, wie der Chronist fortfährt, »eine
Menge alter, zum Teil entlegener Literatur über Kir-
chenverfassung, über Pietismus und Zinzendorf, über
Liturgie und Kirchenmusik jener Zeit gelesen und
exzerpiert« und sich dabei in die Gestalt »des magi-

schen Prälaten« Oetinger richtig verliebt; für Bengel habe er eine so tiefe Verehrung empfunden, daß er eine Photographie seines Bildes eine Weile auf seinem Schreibtisch stehen hatte; und durch die Ausstrahlung Zinzendorfs, der ihn ebenso interessierte wie abstieß, sei er angeregt und fasziniert worden. Dennoch ließ Knecht diese Arbeit unvollendet: er hatte zu viele Details gesammelt und Einzelstudien getrieben, als daß es ihm möglich gewesen wäre, aus dem Material einen Lebenslauf zu gestalten, der in die Vorstellungen der kastalischen Erziehung hineingepaßt hätte.

Diese Passage und eine nachfolgende, noch ausführlichere Bezugnahme auf Bengel ließ viele Leser des *Glasperlenspiels* vermuten, daß Hesse wieder seine besondere Art von Versteckspiel vor dem Leser treibe, wie er es so vollendet ironisch in der *Morgenlandfahrt* und anderswo getan hatte. Man nahm an, er habe wirklich einen »Vierten Lebenslauf« geschrieben, diesen aber aus dem einen oder anderen Grund nicht in den Roman aufgenommen. Kurz nach Erscheinen des Buches dann behauptete einer seiner Biographen, das Manuskript dieses »Lebenslaufs« existiere tatsächlich und läge in Montagnola.[1] Auch die erste Ausgabe der Briefe (1951) enthielt neue Hinweise: Ende 1933 hatte Hesse nämlich an Thomas Mann geschrieben, er lese gerade, soweit es seine Augen erlaubten, pietistische Biographien aus dem 18. Jahrhundert. Ein Jahr später erzählt er

1 Richard B. Matzig *Hermann Hesse in Montagnola*, Basel, 1947, S. 7.

einem anderen Briefpartner von seinen theologischen Studien, bei denen ihm namentlich der schwäbische Pietist Oetinger sehr gefallen habe. Und sechs Monate darauf nennt er Oetinger in einem Brief an einen Vikar »eine der ehrwürdigsten und anziehendsten Persönlichkeiten der protestantischen Frömmigkeit«, obwohl man seine Lehre nicht als autoritativ, ja nicht einmal als repräsentativ bezeichnen könne.

Dem interessierten Leser hätte es außerdem auffallen können, daß sich Hesses Buchbesprechungen für die *Neue Rundschau* in den Jahren 1934 und 1935 stark zu religiösen und theologischen Werken hinneigten. Im September 1934 etwa widmete er der *Kirchengeschichtsschreibung* von Walter Nigg mehrere Seiten, und seine Behandlung der Zeit um 1700 bewies eine Kompetenz, die weit über das Wissen eines Laien hinausging. All dies genügte, die Neugierde leidenschaftlicher »Glasperlenspieler« zu reizen, nicht aber, sie zu stillen.

Die erweiterte Briefausgabe von 1964 bot nochmals neue Anhaltspunkte. »Es gab übrigens in meinem Plan noch einen weiteren Lebenslauf, ins 18. Jahrhundert als die Zeit der größten Musikblüte verlegt, ich habe auch an diesem Gebilde nahezu ein Jahr gearbeitet und ihm mehr Studien gewidmet, als allen andern Biographien Knechts, aber es ist mir nicht geglückt, das Ding blieb als Fragment liegen. Die allzu genau bekannte und allzu reich dokumentierte Welt jenes Jahrhunderts entzog sich dem Einbau in die sehr legendären Räume der übrigen Leben Knechts« (Brief an Rudolf Pannwitz, Januar 1955).

Zwar erfahren wir aus dieser Mitteilung nur wenig, was wir nicht schon vorher wußten; sogar die Wortwahl erinnert stark an die entsprechenden Passagen im Roman. Aber es ist Hesse, der hier schreibt – nicht der anonyme Chronist des *Glasperlenspiels*. So war es jetzt mehr als nur eine Vermutung, daß Hesse wenigstens eine fragmentarische Fassung dieses »Vierten Lebenslaufs« niedergeschrieben hatte. Alles sprach dafür, daß – wie Matzig berichtete – das Manuskript noch existierte. Und die Veröffentlichung war nur eine Frage der Zeit.

Der erste Band der von Ninon Hesse herausgegebenen *Prosa aus dem Nachlaß* (1965) übertraf dann alle Erwartungen: er enthält nicht nur eine, sondern zwei fragmentarische Versionen dieses Lebenslaufs aus dem achtzehnten Jahrhundert.

Wenn wir uns heute – nach über zwanzig Jahren gesteigerter Neugierde – diese Erzählungen vornehmen, die sich so nahe an die im *Glasperlenspiel* gegebenen Andeutungen halten, drängen sich sofort mehrere Fragen von selbst auf. Warum hat Hesse gerade dieses Thema gewählt? Gibt es Beweise für sein ausführliches Studium der Quellen und Dokumente, auf das Hesse (bzw. Knecht) wiederholt hinweist? Und wenn ja, wie hatte er bei der Einarbeitung des Materials vorgehen wollen? Warum hielt er es für notwendig, eine zweite Version zu schreiben? Und worin unterscheiden sich die beiden Versionen? Vor allem aber: Warum hat Hesse sich, nach mehr als einem Jahr Vorarbeit, dazu entschlossen, die ganze Sache am Ende fallen zu lassen?

Wir wissen inzwischen, daß dieser »Vierte Lebenslauf« in die erste Zeit der Niederschrift des *Glasperlenspiels* gehört und im Hinblick auf einen Plan entstand, dessen Konzept vollkommen anders war als der Aufbau des schließlich 1943 veröffentlichten Romans. Ursprünglich hatte Hesse ja, wie er an Pannwitz schrieb, die Vorstellung »der Reinkarnation als Ausdrucksform für das Stabile im Fließenden, für die Kontinuität der Überlieferung und des Geisteslebens überhaupt«, mit anderen Worten, die Vorstellung mehrerer parallel angeordneter Lebensläufe, wobei das Gewicht gleichmäßig verteilt sein sollte. Aber als er, nach einer Unterbrechung von zwei Jahren, den alten Plan wieder aufnahm, begann sich dieser »unter dem Druck des Augenblicks« – das heißt, angesichts der politischen Entwicklung in den dreißiger Jahren – zu verwandeln. Vor der »Gemeinheit« und »Verlogenheit« Hitler-Deutschlands wurde das Heraufbeschwören irgendeiner vergangenen Zeit weniger dringlich. Inmitten der Gefahren, die eine Zerstörung der kulturellen Tradition und Kontinuität androhten, mußte Hesse das ideale Reich des Geistes mehr und mehr in die Zukunft projizieren, d. h. in das kastalische Leben Josef Knechts. Was ihm anfangs als eine Reihe paralleler Lebensläufe vor Augen gestanden hatte, wurde nun »aller Vergiftung der Welt zum Trotz« eine Vision auf Zukünftiges. Die drei bereits fertigen Lebensläufe verloren an Bedeutung und wurden später nur in den Anhang des beendeten Romans als Schulaufsätze des jungen Knecht aufgenommen.

Diese Verschiebung des Schwerpunktes erklärt uns einige stilistische und strukturelle Besonderheiten, die bei der Prüfung der beiden Fragmente auffallen. Erstens hatte Hesse, da er bei der Niederschrift derselben noch keinen klar ausgearbeiteten Plan vor sich sah, auch noch keinen festen erzählerischen Standpunkt eingenommen. Während die »Lebensläufe« der endgültigen Romanfassung vom Standpunkt Josef Knechts geschrieben sind, werden die beiden Fragmente von einem anonymen Kastalier bzw. dem Helden selbst erzählt. Zweitens erforderte der frühe Plan hinsichtlich der einzelnen Geschichten keine so starke Einschränkung der Länge, wie sie sich später als notwendig erwies, als die »Lebensläufe« der Hauptgeschichte strukturell untergeordnet wurden. Man gewinnt den Eindruck, als ob der »Vierte Lebenslauf« eine große Erzählung vom Umfang eines Romans hätte werden sollen; schon die ausführlichen Fragmente, obwohl sie nur das halbe Leben des Helden umfassen, sind wesentlich länger als irgendein anderer der drei »Lebensläufe«. Und da die Betonung in dieser frühen Phase letztlich auf der *Kontinuität* einer geistigen Tradition lag, können wir verstehen, warum sich Hesse mehr als ein ganzes Jahr von einer Episode, die gar nicht in Verbindung mit Kastalien stand, absorbieren ließ. Zu diesem Zeitpunkt konnte er sich noch den »Luxus« der Konzentration auf eine Epoche erlauben, die in vieler Hinsicht die Vergangenheit rekapitulierte und der Zukunft vorausging.

Zu den schwäbischen Pietisten des achtzehnten Jahrhunderts fühlte sich Hesse aus mehreren Gründen hingezogen. Erstens sah er in ihnen eine Rückkehr zu seiner eigenen geistigen und intellektuellen Herkunft. Hesse war in einer so distinguierten pietistischen Familie geboren, daß diese oft in Werken über die schwäbische Kirchengeschichte erwähnt wird (z. B. bei Gerhard Schäfer, *Kleine Württembergische Kirchengeschichte*, Stuttgart, 1964). Der pietistische Impuls im Hause Dr. Carl Hermann Hesses, des Großvaters väterlicherseits, war so stark, daß Johannes Hesse, der Vater des Dichters, sich schon in jungen Jahren entschloß, als Missionar in den Dienst der Basler Missionsgesellschaft zu treten. Überregional bekannt wurde Dr. Hermann Gundert, Großvater mütterlicherseits, der nicht nur ein namhafter Indiengelehrter, sondern auch eine führende Gestalt im schwäbischen Pietismus des neunzehnten Jahrhunderts war. Hesse wuchs also in einem seit Generationen geprägten Haus devoter und aktiver Pietisten auf. Obwohl seine eigene Haltung dem Pietismus gegenüber ambivalent war und er gegen einige seiner Vorschriften ebenso heftig rebellierte wie Emil Sinclair in *Demian*, wußte er doch um die besonders starke Auswirkung dieser Tradition auf sein eigenes Leben und leugnete niemals die formende Rolle, die der Pietismus bei seiner Entwicklung gespielt hatte.

Ein Blick über Hesses nächste Familie hinaus läßt uns aber erkennen, daß auch die Kulisse und Lokalität seiner Kindheit einen prominenten Platz in der Geschichte des schwäbischen Pietismus einnimmt (vgl. Schäfer, a.a.O. oder Albrecht Ritschl, *Geschichte des*

Pietismus, Bd. III, Bonn, 1886). Seit dem siebzehnten Jahrhundert und lange vor der Gründung des dortigen »Verlagsvereins« war Calw schon ein Zentrum der pietistischen Bewegung gewesen. Im Jahre 1713 z. B. sandte man eine Prüfungskommission aus, um dort separatistische Bestrebungen ausfindig zu machen, mußte aber feststellen, daß die Strenge und Würde der Calwer Pietisten solchen »Exzessen« – wie sie in Stuttgart und anderen Nachbarstädten vorkamen – nicht nachgaben. Während der Schulzeit kam Hesse, wie bekannt, nach Maulbronn, wo die *Landesschulen* ein Zentrum des Pietismus bildeten, dessen pädagogische Methoden in nicht geringem Maß an Bengel orientiert waren, der dreißig Jahre lang Präzeptor in Denkendorf gewesen war. Später ging Hesse ein Jahr in Göppingen zur Schule, der Geburtsstadt Oetingers und Johann Friedrich Rocks. Tübingen, wo er ebenfalls vier Jahre lebte, galt im frühen achtzehnten Jahrhundert als Hochburg des Pietismus. Hier hatten Oetinger, Bilfinger und andere seinerzeit die Richtlinien des Pietismus formuliert; hier hatte Rock seine ideologischen Kämpfe für die »Inspirierten« gefochten[1]; und hier hatte Zinzendorf die offizielle Anerkennung seiner Lehre und der

---

1 Johann Friedrich Rock (1678–1749), geb. in Oberwälden bei Göppingen, war eines der bedeutendsten »Werkzeuge« – wie er es nannte – der Sekte der »Inspirierten«, die auch als »Französische Propheten« oder »Deutsche Quäker« bekannt sind. Die Bewegung, ein separatistischer Zweig des Pietismus, wurde von nach Deutschland geflohenen Hugenotten, den Kamisarden, 1711 ins Leben gerufen – vor allem in Württemberg. Für weitere Informationen s. *Allgemeine Deutsche Biographie* XXVIII, S. 735 ff.

Herrnhuter Brüdergemeinde gesucht. Die Rückwendung zum Pietismus war für Hesse daher indirekt eine Auffrischung vieler Kindheits- und Jugenderinnerungen.

Gleichzeitig aber, und in einem allgemeineren Sinn, kehrte Hesse damit auch in die kulturelle und intellektuelle Epoche zurück, in der er sich geistig zu Hause fühlte. In seinem Essay »Eine Bibliothek der Weltliteratur« (1929) schreibt er, daß er »die erste wertvolle Entdeckung auf dem Gebiete der Dichtung« in der Calwer Familienbibliothek gemacht habe, als er die deutsche Literatur des 18. Jahrhunderts kennenlernte. »Sie war in dieser seltsamen Bücherei« (des Großvaters Gundert) »in einer seltenen Vollständigkeit vorhanden«, von den Klassikern bis zu »weniger bekannten Schätzen«, Literaturzeitschriften und Traktaten. An diesen Büchern »schärfte« er sein »Ohr und Sprachgewissen« und beschäftigte sich mit ihnen in einem Ausmaß »wie kaum ein gelehrter Fachmann«. Hier fand er die Quellen seines geistigen Erbes und der Tradition, aus welcher in der Folge seine Lieblingsdichter Hölderlin, Novalis und Mörike hervorgingen, Dichter, die ebenfalls im Pietismus aufgewachsen – oder aus ihm herausgewachsen – waren. Im großen und ganzen ist es also eher verwunderlich, daß Hesse das 18. Jahrhundert nicht schon früher in seinen Dichtungen behandelt hat.

Denn diese Zeit war außerdem eine Blütezeit der Musik. In den beiden Fragmenten des »Vierten Lebenslaufs« weist Hesse wiederholt darauf hin, daß die Pietisten, so aufregend und neu ihre Ideen in vieler Hinsicht waren, historisch gesehen niemals eine klassische Stellung, ja nicht einmal einen Platz der Anerkennung erreichen konnten, weil es ihnen nicht gelungen war, für ihre Gedanken eine neue Sprache zu schaffen. Die Musik dieser Epoche aber, mit Bach als Höhepunkt, repräsentiere die eigentliche Klassik des achtzehnten Jahrhunderts, da sie eine neue Ausdrucksform gefunden hatte, die den schriftlichen Dokumenten jener Zeit fehlte. Aus diesem Grund u. a. sollte Hesses Knecht seine Theologielaufbahn aufgeben und Organist werden.

In den Jahren 1933 und 1934 studierte Hesse zahllose Stunden und Tage, assistiert von seinem Neffen, dem Musikwissenschaftler Karl Isenberg, die Musik des frühen achtzehnten Jahrhunderts als Vorarbeit zum zweiten Teil seiner Geschichte, die er dann doch nicht zu Ende schrieb. Schon ziemlich früh hatte ihm die Orgel, zum Teil wegen ihrer Symbolträchtigkeit, Klavier und Geige, die in seinen ersten Werken eine Rolle spielten, zu ersetzen begonnen. Denn es besteht eine direkte Verbindung, historisch wie auch in Hesses persönlichem Denken, zwischen der Orgel und der Theologie oder Kirche – eine Verbindung, die sich natürlich am auffälligsten darin zeigt, daß die Orgel fast immer in Kirchen, und meist nur dort, zu finden ist. Was sie für Hesse bedeutete, sehen wir deutlich an der Betrachtung »Alte Musik« (1913), wo er beschreibt, wie er eines Abends nach Bern hineinfährt (er lebte außerhalb der Stadt), um einem Orgelkonzert im Münster beizuwohnen. In *Demian* ist diese Beziehung durch Sinclairs Freund Pistorius verkörpert, dem abtrünnigen Theologen, der ein leidenschaftlicher Organist wird. Das philosophische Gedicht »Orgelspiel« benutzt die Orgel als Symbol für die menschenvereinende Kraft. So ist es nicht überraschend, wenn wir diesem Thema auch im »Vierten Lebenslauf« wiederbegegnen, wo eine durchgehend thematische Spannung aufrechterhalten wird zwischen der Zwietracht der Kirche bzw. den separatistischen Bewegungen des frühen achtzehnten Jahrhunderts einerseits und der Musik als einem Symbol der Versöhnung andererseits. Die Einheit, an der die Kirche scheiterte, weil sie sie nicht erreichen konnte, ist in der großartigen Musik jener Zeit, die in Bach exemplarisch wurde, zu finden. Knechts Absage an die Theologie und seine Hinwendung zur Musik entspricht also durchaus der thematischen Anlage der Handlung, nämlich: seiner Herauslösung aus den Spannungen, die wir im ersten Teil des »Lebenslaufs« miterleben und die ihn auf der Suche nach einem sinnvollen Dasein immer wieder enttäuscht haben.

An dieser Stelle stoßen wir auf einen weiteren Grund für Hesses Interesse am schwäbischen Pietismus. Der pietistische Gedanke des Dienens und der Liebe besaß für ihn dieselbe Anziehungskraft wie der – ebenfalls pietistische – Traum einer Wiedervereinigung aller Gläubigen. Außerdem sympathisierte Hesse mit dem chiliastischen Glauben Bengels an ein künftiges Reich des Geistes – obwohl er mit einem beiläufigen Hinweis auf die apokalyptischen Voraussagungen jener Zeit Bengel und dessen hartnäckiges Insistieren auf der Ankunft des Tausendjährigen Reiches im Jahre 1836 offensichtlich freundlich ironisierte. (Vgl. S. 106.) Im Laufe eines Gesprächs mit Pater Jakobus läßt Josef Knecht im *Glasperlenspiel* sogar die scheinbar paradoxe Bemerkung fallen, Bengel sei ein »heimlicher Vorläufer und Ahne« des Glasperlenspiels gewesen. Denn als junger Mann habe er einmal seinen Freunden mitgeteilt, »er hoffe in einem enzyklopädischen Werk alles Wissen seiner Zeit symmetrisch und synoptisch auf ein Zentrum hin zu ordnen und zusammenzufassen«. (Vgl. das Kapitel »Zwei Orden«.) Schließlich fand Hesse sowohl bei Bengel wie bei Oetinger – neben der Liebe, dem Dienen, dem chiliastischen Glauben und der Überzeugung von der wesentlichen Einheit aller Dinge – ein bewußtes und gelebtes Bemühen um die Versöhnung der *vita activa* mit der *vita contemplativa*, ein Motiv, das im Laufe der dreißiger und vierziger Jahre, d. h. während der Entstehung des *Glasperlenspiels*, immer stärker in den Mittelpunkt von Hesses Denken rückte.

Aus einer Vielzahl von Gründen fühlte sich Hesse folglich zum schwäbischen Pietismus und dem achtzehnten Jahrhundert unmittelbar und instinktiv hingezogen. Fast scheint es unvermeidlich, daß er diese Epoche einmal ausführlich in einem seiner Werke behandeln mußte. Überraschend ist eher die Tatsache, daß er dann gerade dieses Werk nur in fragmentarischer Form hinterlassen hat. Um aber ganz präzise die Ursachen dafür herauszufinden, müssen wir die Fragmente selbst genauer unter die Lupe nehmen.

II

Mit ziemlicher Sicherheit läßt sich nachweisen, was Hesse bei der Vorarbeit zum »Vierten Lebenslauf« gelesen hat. (Erwähnt wurde schon, daß er sich systematisch mit der Musik jener Zeit beschäftigte.) Im Jahre 1934 schreibt er an seine Schwester Adele, daß er sich sämtliche Bände der Zinzendorf-Biographie von August Gottlieb Spangenberg aus einer Zürcher Bibliothek entliehen habe.[1] Auch erwähnt er ein Gesangbuch aus dem Jahre 1700, dessen Einband er genauestens im »Vierten Lebenslauf« beschreibt, und das er mehrmals zitiert, »Geistliche Seelen-Harpffe oder Württembergisches Gesangbüchlein«. Der Erzähler des ersten Fragmentes berichtet außerdem, daß im neunzehnten Jahrhundert zwei Bücher über Bengel erschienen seien, »welche zwar von seinem Leben wenig erzählen, aber viele Aussprüche, Predigten und Briefe von ihm mitteilen« – ein Hinweis, der auf die Biographien von Burk und Wächter schließen läßt.[2] Und im Text selbst erzählt Hesse

1   Vgl. S. 161 f.; vollständiger Titel der Ausgabe: *Leben des Herrn Nicolaus Ludwig Grafen und Herrn von Zinzendorf und Pottendorf*, zu finden in den Brüdergemeinden, 8 Bde., 1773.
2   Johann Christian Friedrich Burk: *Dr. Johann Albrecht Bengel's Leben und Wirken, meist nach handschriftlichen Materialien*, Stuttgart, 1831; und Oscar Wächter: *Johann Albrecht Bengel Lebensabriß, Charakter, Briefe und Aussprüche*. Nebst einem Anhang aus seinen Predigten und Erbauungsstunden. Stuttgart, 1865.

gewisse Episoden aus dem Leben Oetingers nach, die er nur in dessen Autobiographie entdeckt haben kann.[1] Natürlich hatte Hesse sehr viel mehr als das gelesen: er kannte sich generell in der württembergischen Geschichte und Kultur des späten siebzehnten und frühen achtzehnten Jahrhunderts aus. Den weitaus größten Teil seines Materials aber hatte er aus den erwähnten Biographien über Bengel, Zinzendorf und Oetinger. Dies kann recht überzeugend demonstriert werden auf der Basis der Textvergleiche.

Aus mehr als nur einem Grund ist es bedauerlich, daß Hesse diesen »Vierten Lebenslauf« nicht vollendet hat. Innerhalb seines Gesamtwerks kennzeichnet er nämlich eine ganz neue Richtung, das Wagnis eines historischen Romans solcher Art, wie er ihn bis dahin noch nie zu schreiben versucht hatte. Die historische Gestalt Buddhas in *Siddhartha* spielt ja nur eine symbolische Rolle und bleibt peripher. Im Grunde lebt Siddhartha in überhaupt keiner historisch bestimmbaren Zeit, er hätte im sechsten oder sechzehnten Jahrhundert nach Christus ebenso wie im sechsten Jahrhundert vor Christus leben können. In *Narziß und Goldmund* ist zwar die Atmosphäre des fünfzehnten Jahrhunderts glücklich eingefangen, aber auch hier haben wir eine rein fiktive Kulisse vor uns ohne historische Gestalten, Lokalitäten oder Ereignisse. Der »Vierte Lebenslauf« dagegen spielt in einem durch und durch historischen Kontext. Die Aufforderung der Schulbehörde an Knecht, sei-

---

1 *Friedrich Christoph Oetingers Leben von ihm selbst beschrieben.* Hrsg. S. Schaible, Schwäbisch-Gmünd, 1927.

nen nächsten »Lebenslauf« doch sorgfältiger zu do-
kumentieren und mehr auf das historische Detail zu
achten, reflektiert wahrscheinlich Hesses eigene kritische Beurteilung seiner früheren »historischen« Romane. Denn etwa um dieselbe Zeit hatte er sich besonders dem Kulturhistoriker Jacob Burckhardt
(1818–1897) zugewandt und war von dessen Ge-
schichtsverständnis beeinflußt worden, das wesentlich zur endgültigen Version des *Glasperlenspiels* bei-
tragen sollte. Hesse war zu der Überzeugung ge-
langt, daß der einzelne Mensch entscheidend von den
historischen Umständen seiner Zeit mitgeprägt wird.
Der beste Beweis dafür ist die Konzeption der parallelen Lebensläufe, wie er sie ursprünglich seinem
Buch zugrundelegen wollte: ihn interessierte, wie
derselbe Mensch durch unterschiedliche historische
Konstellationen betroffen wäre. Eine aufschlußreiche
Passage im »Vierten Lebenslauf« zeigt uns, wie
bewußt Hesse dieses Prinzip vor Augen stand:
»Schließlich ist der einzelne ja kein Endzweck und
wird durch seine Geburt nicht nur zwischen Eltern
und Geschwister gestellt, sondern auch in ein Land,
eine Zeit, eine Kultur, eine Epoche, und so war auch
Knecht, lang ehe er davon wissen konnte, in Bewegungen, Probleme, Sehnsüchte, Irrtümer und Denkformen, Vorstellungen und Träume hineingeboren,
welche Ort und Epoche ihm zubrachten . . .« (S. 33 f).
Diese zunächst theoretische Rechtfertigung eines historischen Relativismus' markiert die radikale Absage Hesses an die hermetisch ahistorischen Dimen-
sionen seiner früheren Werke.

Natürlich ist der Josef Knecht des »Vierten Lebenslaufs« eine fiktive Gestalt. Aber sein Leben spielt im
Rahmen einer historischen Realität, die Hesses sorg-
fältiges Studium der Quellen verrät. Viele Gestalten
der Erzählung – Bengel, Oetinger, Rock, Zinzendorf – haben tatsächlich gelebt, sind also historisch.
Knechts Geburt (um 1709) wird mit dem Hinweis
auf ein historisches Ereignis datiert, den Frieden von
Rijswijk, der im Jahre 1697 den Pfälzischen Erb-
folgekrieg beendete. Und obwohl Hesse den damals
regierenden Herzog nicht beim Namen nennt, charakterisiert er ihn und seine Herrschaft gleich zu
Anfang der Erzählung doch so deutlich, daß man
ohne Schwierigkeit den leichtlebigen, aber populären
Eberhard Ludwig wiedererkennt, der Württemberg
von 1693 bis 1733 regierte und beherzt genug war,
die fliehenden Hugenotten vor der Verfolgung Ludwigs XIV zu schützen, andererseits aber die Kirche
auch unbarmherzig besteuerte, um sein Vergnügungs-
schloß in Ludwigsburg zu bauen.[1]
Der historische Hintergrund wird durch die verschie-
densten Mittel heraufbeschworen. Auch allen nicht-
historischen Gestalten z. B. gab Hesse einen Namen
aus zeitgenössischen Dokumenten, so daß sie wie
selbstverständlich in die Epoche hineinpassen. In der
ersten Fassung heißt die Schwester Josef Knechts
Benigna, ein Name, den Hesse aus der Autobiographie Oetingers kannte als den Namen von Oetingers
Schwester. Der erste Lehrer Knechts, Präzeptor Roos,
trägt den Namen eines bekannten Pietisten: Magnus

1 Vgl. Schäfer, a.a.O., S. 83 f.

Friedrich Roos (1727–1803), der ein Freund Spangenbergs und Verbreiter des schwäbischen Biblizismus war. Und die dritte Schlüsselfigur in Knechts Jugend, der Spezial Bilfinger, ist ein Namensvetter des Konsistorialpräsidenten Georg Bernhard Bilfinger (1693–1750), der Theologieprofessor und Vorsteher des Tübinger Stifts und ein Schützling Bengels und Kollege Oetingers war.

Das allgemein geistige und kulturelle Klima ist durchtränkt mit Einzelheiten aus der Geschichte des achtzehnten Jahrhunderts. In der zweiten Fassung stellt der Ich-Erzähler der um 1780 entstandenen Aufzeichnung ziemlich mißbilligend die freien, individuellen Erziehungstheorien seiner Zeit (Rousseau, Basedow, Pestalozzi) der starren, gegen alles Spielerische eingestellten Schuldisziplin seiner eigenen Jugend gegenüber und bedauert, leicht verächtlich, den Niedergang der Musik, die nach dem Tode Bachs »im ganzen die Reinheit, Strenge und Adligkeit« verloren habe (vgl. S. 106). Indirekt eingesetzt, wie in diesen Fällen, ist die historische Darstellung gleichzeitig ein anschauliches Mittel zur Charakterisierung der Personen. Der junge Knecht, der im musikalisch isolierten Herzogtum von Württemberg aufwächst, kennt zwar die »modernen Orgelkünstler Moffat und Pachelbel«[1] (S. 43), besitzt aber nur »eine schwache Kunde von Buxtehude«, dem norddeut-

---

1 Georg Muffat (1645–1704) und Johann Pachelbel (1653–1706). Seltsamerweise ist Muffats Name im Text immer falsch als »Moffat« angegeben – ein Versehen, das wohl auf Herausgeber und Lektoren des Bandes zurückgeht.

schen Genie, und hat die Namen Händel und Bach noch nie gehört (S. 74). Obwohl etwas rückständig auf dem Gebiet der Musik, war Württemberg dennoch voll intellektuellen Lebens. Besonders das Tübinger Stift repräsentierte, im Gegensatz zum verstaubten Konservatismus der Universität, eine liberale Gesinnung, und seine fortgeschritteneren Studenten beschäftigten sich bereits mit Leibniz' neuer Monadenlehre, während man in der ganzen Stadt hitzige Debatten führte über den Separatismus der »Inspirierten« Friedrich Rocks und um die Anerkennung der Zinzendorfschen Ideen in der offiziellen Kirchendoktrin rang. Der Hintergrund der Handlung schließlich führt dem Leser die großen historischen Zusammenhänge vor Augen: die religiösen Verfolgungen in Frankreich und Mähren (S. 29), die in scharfem Kontrast zu der ausgesprochen toleranten und diskussionsfreudigen Atmosphäre Württembergs stehen. Obwohl diese Technik oft indirekt und zurückhaltend eingesetzt wird, gelingt es Hesse, einen historisch glaubwürdigen und authentischen Schauplatz für seine Erzählhandlung zu schaffen.

Im Umgang mit den Gestalten Bengels, Oetingers und Zinzendorfs aber hielt Hesse sich auffallend eng an die Quellen. Doch erreicht er seine Wirkung mit einer erstaunlichen Sparsamkeit der Mittel: der Raum, den er diesen Figuren widmet, beläuft sich insgesamt nur auf wenige Absätze oder höchstenfalls einige Seiten. Ein gutes Beispiel hierfür ist die Charakterisierung Bengels. Erstens sagt Hesses Bengel kein einziges Wort, das nicht streng übereinstimmte mit dem Bild der historischen Person, wie es aus Briefen, Gesprächen oder Erwähnungen seiner Zeitgenossen entsteht. Zweitens sind in Hesses Darstellung viele der Gespräche Bengels adaptiert nach dessen eigenen Schriften. An einer Stelle z. B. rekonstruiert Hesse eine ganze Szene um die überlieferte Bemerkung, Bengel habe die Angewohnheit gehabt, jeden Tag zumindest mit einem seiner Schüler ein Privatgespräch zu führen (S. 64). Unter den Verhaltensregeln nun, die Bengel zu seinem persönlichen Gebrauch notierte, findet sich tatsächlich die Eintragung: »Alle Tage einen lassen *privatim* zu sich kommen« (vgl. Wächter, a.a.O., S. 15). Im Gespräch zwischen Bengel und Knecht, das durch die obige Bemerkung eingeleitet wird, geht es dann um die Themen Musik und Bücherschreiben. Und Bengel erzählt Knecht, daß ihn immer ein Gedanke zurechtweise, sobald er versucht sei, für Gewinn oder Berühmtheit zu schreiben: »Es ist der Gedanke: ein Büchermacher sollte kein einziges Wort schreiben, das er in der Stunde seines Todes bereuen müßte« (S. 65). In diesen Ausspruch hat Hesse einen weiteren persönlichen Grundsatz Bengels eingearbeitet: »Es ist schon lange meine Regel, in Schriften *kein Wort* zu setzen, das mich in der Stunde des Todes reuen möchte« (vgl. Burk, a.a.O., S. 186). Und Bengels Anmerkungen zur Musik während seines Gesprächs mit Knecht spiegeln die mißtrauische Einstellung des historischen Magisters zu dieser Kunst ganz allgemein wider.

Bei einer anderen Gelegenheit schildert Hesse den

Unterschied der Schulstunden bei Bengel und Roos und erklärt, daß es sich dabei nicht um einen Unterschied in der Methode handle, sondern vielmehr im Ziel: »Hier aber [bei Bengel] war Lernen und Gelehrsamkeit nicht Selbstzweck mehr, sondern ganz und gar auf ein Ziel gerichtet, auf das höchste, den Gottesdienst« (S. 57). Dieser Abschnitt, der als reine Exposition dient, folgt in allen Einzelheiten den Erziehungsprinzipien Bengels, wie er sie in seiner lateinischen Oratio bei den Eröffnungsfeierlichkeiten des Denkendorfer Seminars im Jahre 1713 umrissen hat: »Über den sichersten Weg zu wahrer Bildung durch das Trachten nach der Gottseligkeit zu gelangen« (Wächter, a.a.O., S. 15). Hesse schließt diesen Abschnitt mit einer Anekdote: »Einmal sagte er zu einem seiner früheren Schüler, er betrachte jeden seiner Klosterschüler mit Hochachtung und sehe in ihm etwas Edleres und Besseres als er selbst sei, denn angesichts dieser jungen Angesichter empfinde er oft mit tiefem Schmerz, wie rein und unbeladen diese Seelen noch seien, während er selbst an sich und seinem Leben schon so viel vergeudet, verpfuscht und verdorben habe« (S. 58). Diese Anekdote, von Hesse eher nebenbei eingefügt als lebendige Illustration des Vorangegangenen, stammt aus einer »Erbauungs-Ansprache«, die Bengel 1748 in Tübingen hielt. Hesse hat den Ton leicht verändert und die Passage ausführlicher wiedergegeben, aber die zentrale Gegenüberstellung und die grundsätzlichen Begriffe übernommen. Bei Bengel heißt es: »Wenn ich zur Zeit meines Kloster-Präceptorats einen rechtschaffenen Kloster-Schüler sah, so habe ich ihn immer für höher geachtet, als mich selbst; denn ich dachte: dieser Mensch hat noch nicht so viel versäumt, noch nicht so viel Gnade verschleudert als ich« (vgl. Burk, a.a.O., S. 77). Diese Beispiele mögen genügen; jeder Leser, der Hesses Text mit den Quellen vergleicht, kann selbst weitere Parallelen finden (z. B. Bengels Bemerkungen über Musik und Bibelforschung oder seine Abneigung gegen Kosenamen wie »mein Jesulein«). Was uns hier interessiert, ist folgendes: Hesse ging bei der Einarbeitung des historischen Materials so vor, daß er Äußerungen von Bengel, die dieser in allgemeinem Kontext und zu verschiedenen Anlässen gemacht hat, umformulierte in einen neuen Kontext und sie dabei vom Allgemeinen auf das Besondere, Persönliche übertrug. Alles wird so dargestellt, als habe der junge Knecht diese Äußerungen während der zwei Jahre, die er in Denkendorf zubrachte, aus Bengels eigenem Munde gehört. Die Charakterisierung Oetingers geschieht indirekter und mehr erzählerisch. (Wir werden später sehen, warum Hesse, der Oetinger so sehr bewunderte, ihn weniger detailliert zu schildern scheint.) Eingeführt wird seine Person durch den fast legendären Ruf, den er unter seinen studentischen Bewunderern in Tübingen genießt, und erst dann betritt er selbst, ein kontroverser und genialer junger Lehrer, die Szene. Auf diesen Seiten erhalten wir eine kurze Zusammenfassung von Oetingers Autobiographie, die Hesse in der dritten Person nacherzählt und nur zweimal unterbricht, um etwas mehr Raum für bezeichnende Anekdoten einzuräumen. Eine der bemerkenswertesten Episoden jener Autobiographie, die insofern typisch ist, als sie Oetingers ungewöhnliches Interesse an der Kabbala und Jakob Böhme enthüllt, wird ausführlicher wiedergegeben. Nach dem Theologiestudium in Tübingen wollte Oetinger in Halle Rechtswissenschaften studieren:

»Vorher aber hatte er in Frankfurt den gelehrten Kabbalisten Kappel Hecht besucht, sich mit ihm befreundet und sich über die subtilsten problemata mit ihm besprochen, u. a. machte Kappel Hecht ihn mit einer jüdischen kabbalistischen Hypothese bekannt, wonach Plato ein Schüler des Propheten Jeremias gewesen sei und seine Ideenlehre von ihm übernommen habe. Oetinger war von dem Juden, der ihn sehr lieb gewann, zum Laubhüttenfest mitgenommen worden, und Kappel Hecht hatte ihm viele Ratschläge erteilt, u. a. den, er möge sich lieber mit den rein biblischen Studien begnügen und sich der Hoffnung entschlagen, als Christ und Theologe jemals die letzten Grade der Kabbalistischen Weisheit zu erreichen. Übrigens, fügte der Jude lächelnd hinzu, besäße die Christenheit einen wahren Weisen, welcher der Kabbala ganz nahe stehe, ja ihre christliche Entsprechung sei: er heiße Jakob Böhme.« (S. 77 f.)

Wenn wir diese Passage mit dem Originaltext Oetingers vergleichen, erkennen wir, daß Hesse sie zwar konzentriert, aber fast alle charakteristischen Redewendungen beibehalten hat:

»Herr Rat Fende brachte den gelehrtesten Kabbalisten, den Juden Cappel Hecht, zu mir. Dieser gewann mich sehr lieb wegen der ungewohnten Fragen aus der jüdischen Philosophie, die ich ihm vorlegte. [Hier folgt ein Beispiel.] Ich besuchte ihn dann gerade zur Zeit des Laubhüttenfestes. Er bewies mir mit Hilfe der Geschichtszahlen und des Talmud aus den ältesten Urkunden, daß Plato der Schüler des Jeremia gewesen sei und seine Grundbegriffe von ihm gehabt habe. [Es folgen weitere Einzelheiten.] Ich erkundigte mich bei ihm, wie ich es angreifen müßte, um die Kabbalisten zu verstehen. Er sagte, ich solle mir die Arbeit ersparen; ich würde es doch nicht so weit bringen, ich solle beim Text der Hl. Schrift bleiben. Was die Kabbala betreffe, so hätten wir Christen ein Buch, das noch viel deutlicher von der Kabbala rede als Sohar. Ich fragte: ›Welches?‹ Da antwortete er: ›Jakob Böhme‹, und sagte mir gleich die Übereinstimmung seiner Redensarten mit den kabbalistischen.« (*Oetinger,* hrsg. von Schaible, a.a.O., S. 48–50.)

Bei der Einarbeitung seiner dritten wichtigen Quelle geht Hesse insofern anders vor, als er sie schöpferisch erweitert statt kondensiert. In Spangenbergs Biographie wird der Tübinger Besuch Zinzendorfs im Jahre 1733 ganz kurz behandelt und richtet sich primär auf die Verhandlungen Zinzendorfs mit den dortigen Professoren, bei denen er hoffte, die offizielle Approbation seiner Lehre zu erhalten. Hesse, als Schriftsteller weniger an solchen allgemeinen Konstellationen interessiert als an der Ausstrahlung und Wirkung Zinzendorfs, beginnt mit der einzigen, nur kurzen Erwähnung Spangenbergs über Zinzendorfs öffentliches Auftreten, wo es heißt: »Er wurde auch ersucht, in den Versammlungen, die in Tübingen gehalten wurden, zu reden, und das that er verschiedenemal. So redete er z. E. von der Vergebung der Sünde; ein andermal von der Leichtigkeit der Gebote Gottes, und von dem Halten derselben. Auch hielt er eine Rede über das Lied: König, dem wir alle dienen, ob im Geist, das weissest Du usw., desgleichen über die Worte: Ihr werdet die Wahrheit erkennen, und die Wahrheit wird euch frey machen u. f.« (a.a.O., S. 788–89).

Dieser kurze Abschnitt liefert die Grundlage für eine drei Seiten lange Szene bei Hesse, in welcher Zinzendorf vor einer kleinen Gruppe von Studenten spricht, der auch Knecht angehört. Über die Quelle hinausgehend, zitiert Hesse sogar drei Strophen eines (von Zinzendorf selbst verfaßten!) Kirchenliedes, um so einen Anlaß zu erhalten für Knechts kritische Gedanken zum Stil Zinzendorfs. Diese Kritik wiederum bildet eine glatte Überleitung zu einem Gespräch Knechts mit Oetinger, der selbst gegen das rhetorisch Überschwengliche an Zinzendorfs Sprache redet, ihn nicht als »Vorbild für einen Prediger« ansieht und dies an Beispielen disputiert. Die ganze Szene endet mit dem Zitat eines Briefes, in welchem Zinzendorf seiner Frau mit gemischten Gefühlen von seinem Aufenthalt in Tübingen erzählt. (Vgl. auch Spangenberg, a.a.O., S. 792.) Obwohl sich Hesse also sehr nahe an seine Quellen hält, können wir doch eine schöpferische Vielfalt im Gebrauch derselben verfolgen: Übertragung der allgemeinen auf die besondere Situation; Nacherzählung längerer Zusammenhänge; und kreative Ausarbeitung kürzerer, aber suggestiver Szenen.

III

Diese oberflächlichen Parallelen und Anleihen vermitteln allerdings einen falschen Eindruck von dem, was Hesse seinen Quellen verdankt, denn egal, wieviel er daraus verwandte, die Ereignisse bleiben doch innerhalb des Romans als Ganzes nur Episoden. Bengel wie Oetinger hatten tatsächlich eine viel tiefer reichende, doch indirekte Auswirkung auf das Werk. Bei seinem ersten Gespräch mit Knecht fragt Bengel diesen nach dem Beruf seines Vaters und erhält die Antwort »Brunnenmacher«:
»Bengel sah ihm prüfend ins Gesicht und sagte dann leise, in seiner bedächtigen Art die Worte suchend und wählend: ›Werde du, was dein Vater ist, werde ein guter Brunnenmacher! Ich meine es im Geistigen und bemühe mich selber, einer zu sein. Das Wort Gottes und die Lutherische Lehre sind die Brunnenstube, aus der unser Volk sein Lebenswasser bekommt. Diese Brunnenstube rein zu halten, das ist eine stille Arbeit, auf die niemand achtet und die nicht von sich reden macht, aber sie ist heilig und wichtig wie wenig andre‹.« (S. 56.)
Mittlerweile haben wir gelernt, auf alles, was Bengel in Hesses Text spricht, besonders zu achten, denn jeder seiner Aussprüche erweist sich als eine wörtliche

Transskription oder Paraphrase des ursprünglichen Textes der Vorlagen. So können wir auch mit einer gewissen Befriedigung die Quelle dieses Zitates in einem der Briefe Bengels lokalisieren. Geschrieben als Antwort auf die Kritik von Kollegen, verteidigt Bengel in diesem Brief sein Konzept des sogenannten »Biblizismus«, nämlich: seine unbeirrbaren Forderungen nach peinlich genauen Textvergleichen der verschiedenen Handschriften, aufgrund derer 1736 seine kritische Ausgabe der Evangelien und 1742 sein exegetisches Hauptwerk »Gnomon Novi Testamenti« entstand.

»Können diese Männer [die Theologen in Halle] die Lebens-Bächlein hin und wieder zertheilen und furchtbarlich verbreiten, so sehe ich hingegen nach den Brunnen-Stuben, welches eine Arbeit ist, der Mancher nicht viel nachdenkt, und doch derselben genießt ... Wer die wahren und falschen Lese-Arten gegeneinander hält, der geht mit Gottes Wort selbst, und zwar auf eine solche Weise um, wodurch einem viele seiner Einzelheiten deutlicher und wichtiger werden, und man Gelegenheit bekommt, auch andere schätzbare Mittheilungen zu machen, die sich nicht um die Kritik bekümmern« (Burk, a.a.O., S. 406).

Technisch hat Hesse diese Quelle in ziemlich derselben Weise benutzt wie bei den anderen Beispielen, indem er das Original durch Umschreibung und Abkürzung adaptierte. Interessant ist es aber zu beobachten, daß Bengel diesen Brief – wie erwähnt – als Antwort auf eine vorangegangene Kritik schrieb.

Hesse andererseits setzt das Schlüssel-Bild an den Anfang einer Szene und entwickelt daraus ein Gespräch,
in dessen Verlauf Bengel erst auf die Gegner des
Biblizismus zu sprechen kommt. Auch hier wurde die
Quelle also wieder mit sparsamen Mitteln und ori-
ginellen Einfällen erweitert. Aber die Implikationen
sind diesmal weitaus signifikanter. Man kann sich
nicht vorstellen, daß Hesse erst auf diesen eher weit-
hergeholten Beruf des Brunnenmachers gekommen
wäre – »ein seltenes und geachtetes Handwerk«
(S. 10) – und danach, durch Zufall, in Bengels Briefen ein solch passendes Zitat entdeckt hätte. Nein,
es ist viel wahrscheinlicher, anzunehmen, daß dieser
Brief Bengels Hesse beeindruckt hatte und er, weil
ihm die Anspielungen gefielen und er froh war, diesen Ausspruch mit einbauen zu können, Knechts Vater deshalb zum »Brunnenmacher« machte. Dies wiederum bedeutet aber, daß weite Passagen des ersten
Teiles – noch lange, ehe Knecht auf die Schule nach
Denkendorf geht – sehr stark dem schwäbischen
Theologen verpflichtet sind, der sich selbst als einen
geistigen Brunnenmacher verstand. Mit anderen
Worten, alle diejenigen Passagen, die Knechts Wald-
ausflüge mit dem Vater zum Inspizieren der Quellen
und Bäche beschreiben, verdanken ihre Einfälle und
zum Teil ihre geistige Rechtfertigung der historischen
Gestalt Bengels.
Es wurde schon gesagt, daß Hesse die Autobiographie Oetingers hingegen – angesichts seiner wiederholt beteuerten Bewunderung für die Gestalt des
»magischen Prälaten« – nur erstaunlich zurückhal-

tend und allgemein verwendet. Tatsächlich war es auch undurchführbar, mehr als nur eine kurze Skizzierung von Oetingers Laufbahn zu geben, denn Hesse gebrauchte diese in groben Umrissen als strukturelle Grundlage für Knechts eigenes Leben. Diese Vermutung entsteht im Zusammenhang mit einer Anekdote, die wir in Oetingers Autobiographie finden, und die Hesse in ein Ereignis aus Knechts Leben transformiert. Bei Oetinger heißt es: »Durch Gottes Schickung geschah es, daß ich zur Erholung oft bei der Pulvermühle in Tübingen vorbeiging. Da fand ich in dem Pulvermüller den allergrößten Sonderling … Er trug mir seine Träumereien vor; ich verlachte ihn, doch nur mit Mäßigung. ›Ihr Kandidaten‹, sagte er, ›seid Leute, die unter dem Zwang stehen; ihr dürft nichts studieren nach der Freiheit, die man in Christus hat; ihr müßt das studieren, wozu man euch zwingt.‹

Ich dachte bei mir: Es ist fast wahr, aber wir haben doch auch Freiheit. Er fuhr fort: ›Ist euch doch verboten, in dem Buch zu lesen, das nach der Bibel das allervortrefflichste ist!‹ ›Wieso?‹ sagte ich. Da bat er mich in seine Stube. Dort zeigte er mir *Jakob Böhme* und sagte: ›Da ist die rechte Theologie.‹ Da las ich zum erstenmal in diesem Buch.« (Oetinger, a.a.O., S. 31–32.)

Im »Vierten Lebenslauf« nun finden wir dasselbe Ereignis, zusammengedrängt in eine dichterische Szene, als Vorfall aus Knechts eigenem Leben:

»Ein alter frommer Tübinger Bürgersmann, der Pächter der Pulvermühle, sagte einst zu Knecht und

seinen Freunden: ›Ihr seid Studenten der Gottesgelehrtheit, aber man verbindet euch Augen und
Maul, und die besten und frömmsten Bücher, die es
nächst der Bibel gibt, dürfet ihr nicht lesen.‹ Begierig wurde gefragt, was denn dies für Schriften wären,
und sie erfuhren, das seien die Bücher des Jakob
Böhme, und niemand vermochte zu antworten, denn
in der Tat war das Böhme-Lesen verpönt.« (S. 71 f.)
Ein weiterer Hinweis erscheint in der Passage über
Knechts Erziehung, der Oetingers eigene Schulerfah-
rung ausdrücklich gegenübergestellt wird. Präzeptor
Roos ist beschrieben als ein strenger und viel fordern-
der Pädagoge, aber trotzdem als verständiger und
gütiger Mensch.

»Wir wissen von anderen, zum Beispiel von dem späteren Prälaten Oetinger, einem Mann, der durch
Frömmigkeit, durch Gelehrsamkeit und durch echte
Weisheit ausgezeichnet und der wenig älter als
Knecht war – wir wissen von ihm durch sein eigenes
Zeugnis, daß er, noch ein kleiner Knabe, durch die
furchtbare Strenge und Grausamkeit seines Lehrers
bis zu Verzweiflung und Gotteslästerung getrieben
wurde. Jene Menschen waren nicht zart und ertrugen
viel. Knecht hatte es viel leichter als sein späterer
Tübinger Stiftsrepetent Oetinger . . .« (S. 39 f.)
Die Schulzeit Knechts wird als besonderer Kontrast
zu derjenigen Oetingers herausgestellt, weil anson-
sten eine starke typologische Ähnlichkeit zwischen
den beiden Biographien besteht. Der historischen
Wahrheit zuliebe war es wichtiger, Knecht eine typologisch gültige Biographie zu geben, als die Geschichte

nur mit historischen Details anzufüllen. Dasselbe spüren wir zum Beispiel auch in *Siddhartha*, wo alle historische Ausstattung fehlt, das Buch aber seine Wirkung dadurch erreicht, daß es der Entwicklung des Helden das Leben Buddhas als Muster zugrundelegt. Aus genau demselben Grund durfte auch der historische Buddha in dieser Erzählung nur eine periphere Rolle spielen. Ähnlich wie dort muß Oetinger nun beim »Vierten Lebenslauf« im Hintergrund bleiben, da so viele Geschehnisse aus seinem Leben, zumindest typologisch, in Knechts Leben wiederholt werden.

Oetinger ist wahrscheinlich der einzige Theologe jenes Jahrhunderts, in dessen Werdegang Hesse seine eigene Problematik angedeutet fand. So sehr er Bengel bewunderte, war dieser doch ein reiner Theologe, der niemals von seinem großen Lebenswerk abwich, der niemals an sich selbst oder dem Wert seiner Arbeit zweifelte. In Oetinger jedoch spürte Hesse einen geistigen Vorfahren, und daraus erklärt sich der begeisterte Ton seiner Briefe, in denen er diesen »Magus des Südens« erwähnt. Oetinger (1702–1782) war so leidenschaftlich seiner Suche nach einer mystischen Einheit allen Lebens hingegeben, daß seine Nachforschungen ihn weit über die konventionellen Grenzen der Theologie seiner Zeit hinausführten – und ihn in einigen Fällen mit seiner Gemeinde und der Kirchenbehörde sogar in Konflikt brachten. Ein *enfant terrible* unter den Theologen, konstruierte er ein eklektisches System, das Swedenborg, Böhme, Plato, die Kabbala ebenso wie die Theosophie umfaßte; und seine alchimistischen Experimente, in denen er einen weiteren Zugang zur Einheit des Lebens sah, bahnten den Weg für die späteren Naturphilosophen der Romantik, die im Lauf des Jahrhunderts aufkamen. Schon als Kind war Oetinger von widerstreitenden Wünschen hin- und hergerissen; bis zum Alter von neunzehn Jahren war er sogar ein ziemlicher Weltmann mit durch und durch weltlichem Ehrgeiz. Sogar nach seiner Bekehrung war er noch immer geneigt, Rechtswissenschaft und Medizin zu studieren. Die Theologie allein konnte diesem eher faustischen Sucher nicht genügen. Getrieben, wie Knecht, von den Wünschen einer ehrgeizigen Mutter, ging er auf die Klosterschule Blaubeuren, wo die Beziehung zu seinem Lehrer Weißensee eine sehr enge Parallele zu derjenigen zwischen Knecht und dem Präzeptor Bengel ergibt. Während seiner Jahre in Bebenhausen kam er, ebenfalls wie Knecht, in Kontakt mit Friedrich Rock und seinen »Inspirierten«. In Tübingen begeisterte ihn der brillante junge Professor Bilfinger, ganz so wie Oetinger Knecht begeistert. Anschließend ging er eine Zeitlang nach Herrnhut, wo er allmählich ein Unbehagen gegenüber den selbstgenügsamen Überschwenglichkeiten Zinzendorfs entwickelte; laut Hesses Notizen zur Fortsetzung des Fragments sollte es Knecht genauso ergehen (S. 103). Oetingers Jahre als Pfarrer – anfangs in Hirsau, von wo er oft in das nahegelegene Calw hinüberwanderte – waren voller Unruhe und Schwierigkeiten, denn seine Gemeinden hatten etwas gegen seine alchimistischen Untersuchungen und ärgerten sich über seine strengen Predigten. Auch Knecht sollte nach Hesses Plan »Pfarrer [werden], aber kein Genüge dabei [finden]« (S. 103). Der Hauptunterschied zwischen Knecht und Oetinger ist aber natürlich der, daß Knecht die Theologie zugunsten der Musik aufgegeben hätte; während Oetinger am Ende seines Lebens wahnsinnig wurde. Aber Knechts Entschluß wird durch denselben Impuls motiviert, der Oetinger seinerzeit in seine exotischen Nachforschungen hineintrieb: »Sehnsucht nach einem erfüllten Leben, einer Harmonie, einem Dienst am Vollkommenen« (S. 103).

Angesichts der Tatsache, daß die Hauptstadien in Oetingers Leben eine Parallele zu Knechts Entwicklung bilden und daß einige dieser strukturellen Entwicklungsstufen wirklich mit Ereignissen aus Oetingers Biographie angefüllt sind, darf man wohl sichergehen in der Annahme, daß Oetinger als typologisches Vorbild für Knechts Leben diente. In diesem Sinn stellt die ganze Erzählung eine Hommage Hermann Hesses an Oetinger dar, eine der »ehrwürdigsten und anziehendsten Persönlichkeiten der protestantischen Frömmigkeit«.

IV

Was wir bis hierher erkannt haben, liefert zumindest einen der Gründe, warum sich Hesse entschloß, den »Vierten Lebenslauf« an dieser Stelle umzuschreiben. (Das erste Fragment, das nur bis zum Abschluß von Knechts Studienzeit in Tübingen reicht, deckt etwa die Jahre 1709 bis 1733). Die Menge des eklektischen Materials, das sich Hesse zur Neudarstellung angeeignet hatte, war in keiner Hinsicht so auf die Erzählhandlung übertragen worden, daß er damit zufrieden gewesen wäre. Statt einer reibungslos ineinandergreifenden Darstellung haben wir vielmehr eine wiederholt unterbrochene Geschichte mit eingeschobenen Blöcken historischen Materials vor uns, die nur selten dem Ton des Ganzen angepaßt sind. Ja, der Erzähler der ersten Fassung merkt sogar ziemlich apologetisch an, daß seine Niederschrift »nicht so sehr Erzählung als Betrachtung« (S. 84) sei und unterbricht den Fluß seiner Schilderung immer wieder mit etwas unbeholfenen Einschüben, die er mit Wendungen wie »nebenbei sei erwähnt« (S. 95) oder »man erlaube uns diese und manche andre Abschweifung« (S. 84) einleitet. Im großen und ganzen scheint das erste Fragment nur allzu oft mehr ein detaillierter Entwurf mit anmerkenden Notizen als eine echte Erzählung zu sein.

Hesse begann daher die Geschichte noch einmal ganz neu zu schreiben. Offenbar hat er ziemlich rasch gearbeitet, wobei er im wesentlichen die Struktur der ersten Fassung beibehielt – sich tatsächlich so eng an sie anlehnte, daß er viele Passagen Wort für Wort in die zweite Fassung hinübernahm[1] – vor allem aber nun versuchte, sein Material ganz einzuarbeiten.

Dieses Bemühen um Integration erklärt im Prinzip

---

[1] Gelegentlich (z. B. auf S. 154) hat er sogar versäumt, die dritte Person der ersten Fassung in den Ich-Erzähler der zweiten Fassung umzuändern!

fast alle stilistischen Abänderungen der zweiten Fassung gegenüber der ersten. Die auffälligste ist die Umstellung von der dritten Person auf den Erzähler der ersten Person (im zweiten Fragment). Die Form der Ich-Erzählung erleichterte in vieler Hinsicht die Assimilierung des historischen Materials. Episoden, die vorher einfach nacherzählt wurden – oft mehr oder weniger in der Sprache der Quellen –, sind nun so dargestellt, als hätte Knecht selbst sie von Oetinger oder Bengel erfahren. Etwa in der Passage über Oetingers Ausbildung ist der Ton dadurch viel natürlicher geworden und der Hinweis wirkt nicht mehr forciert oder gar störend: »Doch hatte ich es leichter als mancher andre. Ich brauche da nur des Prälaten Oetinger zu gedenken, dieses frommen, weisen und hochgelehrten Mannes, welcher mir einst erzählt hat, er habe als Zehnjähriger wie in der Hölle gelebt und sei durch die furchtbare Strenge und Prügelgrausamkeit seines Lehrers bis zur Verzweiflung und Gotteslästerung getrieben worden« (S. 146). Da der ältere Knecht inzwischen Oetingers ganze Entwicklung vor Augen hat, kann er gelegentlich das eine oder andere einflechten, während dieselbe Information in der Wiedergabe des Erzählers der ersten Fassung eine Unterbrechung darstellte, zumal sie auf eine Gestalt verwies, die noch gar nicht in die Haupthandlung eingeführt worden war.

Ganz allgemein sind Erzählart und Ton der zweiten Fassung fließender. Das gilt sogar noch für scheinbar unbedeutende Einzelheiten. So erhält Knechts Schwester Benigna einen anderen Namen und heißt nun

Babette. Der Name Benigna (übernommen aus Oetingers Autobiographie) stand nämlich in einem lächerlichen Mißverhältnis zum Charakter dieser Schwester, wie er sich im Laufe der Handlung entwickelte: alles andere als sanft und mild[1], hat das freimütige und impulsive Mädchen tatsächlich viel mehr von einer Babette[2]. Desgleichen strich Hesse ganz bewußt Wörter wie »bürgerlich« (S. 30) und »Barock« (S. 42), weil diese dem Vokabular eines viel später lebenden Erzählers entsprechen würden, im Jahre 1780 jedoch anachronistisch gewesen wären. Auch läßt die zweite Fassung mehr Aufmerksamkeit für das Detail erkennen, eine Tendenz, wie sie sich in der bereits erwähnten Bemerkung über Oetingers Ausbildung zeigt. Beim ersten Entwurf mußte Hesse während der Niederschrift die große Linie seiner Erzählung und die wichtigen dokumentarischen Blöcke ineinanderarbeiten. In der zweiten Fassung kann er mehr auf die Feinheiten achten, die das Erzählte um so glaubwürdiger machen. So wird die vorher namenlose Stiftung, die Gelder für Knechts Erziehung beisteuert (S. 34), nun spezifiziert als »die ehrwürdige Wollweber-Stiftung« (S. 140)[3]. Auch verwendet Hesse viel mehr Sorgfalt auf die Charakterisierung der Personen, z. B. die Schilderung des Präzeptor Roos, und ersetzt die direkte Beschreibung im ersten Entwurf durch

1 Benigna, von lat.: benignus, -a, -um: gütig, mild, wohlwollend, sanft.
2 Babette, franz. Koseform für Isabeau (Abart von Elisabeth).
3 Möglicherweise dachte Hesse hierbei an die Gilde der Tuchfärber, die in der religiösen Geschichte Calws eine wichtige Rolle spielten. Vgl. Schäfer: *Kl. Württbg. Kirchengeschichte*, a.a.O., S. 79.

nunmehr indirekte Charakterisierung und den Dialog. In stilistischer Hinsicht schließlich ist die Sprache viel präziser und weniger allgemein – eine Veränderung, die in den anschaulich beschreibenden Adjektiven der zweiten Fassung offensichtlich wird.

Der nunmehr fixierte Erzählerstandpunkt brachte aber auch die Notwendigkeit mit sich, viele generelle Querverweise fallen zu lassen. Vorher mußte der alleswissende Erzähler noch seine Geschichte unterbrechen, um eine vier Seiten lange Erklärung über die Beziehung zwischen Bengel, Oetinger und dem Glasperlenspiel Kastaliens einzuschieben oder um den Leser zu informieren über die Rolle, welche die Klosterschulen in Schwaben zur Zeit des achtzehnten Jahrhunderts spielten. Solche Passagen gibt es in der zweiten Fassung natürlich nicht mehr: besonders die Hinweise auf Kastalien und das Glasperlenspiel, aber auch Bemerkungen über die großen historischen Perspektiven sind jetzt unangebracht. Umgekehrt braucht der Ich-Erzähler, der gegen Ende des achtzehnten Jahrhunderts lebt und seine Geschichte aufschreibt, Namen und Institutionen, die damals allgemein bekannt waren, nicht mehr so ausführlich zu erklären. Das führt zu einer größeren Konzentration des Stils, zu strafferer Organisation und einem konsequenteren Durchhalten des »historischen« Tones, der sich dafür in farbigen Einzelheiten ausbreiten und auf Verallgemeinerungen verzichten kann.

Hieraus folgt, daß die zweite Fassung weit weniger abstrakt geworden ist. Der thematische Druck, der in der ersten fast alle Charakterisierungen zu diktieren schien, ist nun vermindert; Knecht wird menschlicher, seine Gestalt erscheint nicht mehr wie eine wandelnde Allegorie im Konflikt zwischen zwei abstrakten Ideen. Auch sein Vater und seine Mutter werden nicht einfach mehr als polare Gegensätze gesehen im Kampf um die Seele des Jungen, sondern als komplexe menschliche Wesen.

»In den Jugendjahren, wo diese Erbschaft mich oft sehr beengte, versuchte ich es oft, sie mir recht deutlich zu machen, und habe es mehrere Male sogar schriftlich versucht, meine Person mit ihren Gaben und Fehlern in der Weise auf ein Schema zu bringen, daß ich alle Eigenschaften, Leidenschaften, Fähigkeiten und Neigungen, die ich in mir vorfand, in Worten aufzeichnete und sie in zwei Reihen untereinander schrieb, die eine als väterliche, die andre als mütterliche Züge bezeichnend ... Aber immer war das Schema viel zu starr, und immer wurde ich bei diesen Bemühungen mir selber am Ende nicht klarer, sondern immer unerklärlicher und rätselhafter, bis ich mit den Jahren diese Art der Selbsterforschung als ein unnützes Spiel aufgab und mich mit dem Gedanken tröstete, daß ja auch mein Vater und meine Mutter nicht starre Einheiten, sondern aus vielerlei Erbschaften ihrer Vorfahren gemischt waren, und vielleicht jedes von ihnen schon dieselben Zwiespältigkeiten und Zweifelhaftigkeiten getragen habe wie ihr Sohn« (S. 118 f).

Demgegenüber werden in der ersten Fassung die Eltern fast ausnahmslos als »starre Einheiten« porträtiert. Nachdenkend über diese Zusammenhänge, gelangen wir direkt zu unserer letzten Frage: Warum hat Hesse, nachdem er monatelang daran gearbeitet und geschrieben hatte, diesen »Lebenslauf« am Ende doch nicht vollendet?

<h1 style="text-align:center">V</h1>

Von Hesse selbst (und Knecht) haben wir Beweise dafür, daß es große Mühe machte, die Masse faktischer Dokumente, soweit dringend erforderlich, der fiktiven Handlung anzupassen. Dieses Problem zeigt sich am deutlichsten an der Tatsache, daß Hesse die Niederschrift der zweiten Version gerade an der Stelle abbrach, wo Knecht Denkendorf und Bengel verläßt. Bis dahin nämlich war die Erzählung größtenteils noch selbständig erfunden: besonders Knechts Kindheit, also die Zeit vor seinen zwei Jahren in Denkendorf, ist imaginativ, und alle Gestalten sind freie Kreationen – auch wenn der auslösende Impuls, wie wir wissen, von Bengel und Oetinger kam. Mit zunehmendem Alter jedoch wird Knechts Leben immer enger mit den historischen Gestalten des frühen achtzehnten Jahrhunderts verflochten, fester an den tatsächlichen historischen Ablauf gebunden und von ihm eingeschränkt. Trotz einiger wesentlicher Kürzungen ist die überarbeitete Version noch um einiges länger als der entsprechende Abschnitt der ersten Fassung. Die weitere Einarbeitung des immer umfangreicher werdenden dokumentarischen Materials muß auf Hesse geradezu erdrückend gewirkt haben.

Aber dieser äußere Grund wurde – so glaube ich – verstärkt durch einen noch zwingenderen, inneren Grund, den Hesse zwar nicht ausdrücklich erwähnt, der aber deutlich aus dem Text der beiden Fassungen selbst hervorgeht, wie wir sie heute vor uns haben. Denn Knechts Leben, wie es Hesse vor Augen schwebte, zeigt weder die vollkommene Hingabe an das geistige Ideal, das in den drei anderen »Lebensläufen« zum Ausdruck kommt (die – wie oft erwähnt wurde – auch insofern überraschen, als sie Knechts Absage an Kastalien nicht vorwegnehmen), noch deutet andererseits dieser »Vierte Lebenslauf« selbst auf eine solche Absage an den Ästhetizismus zugunsten des Lebens hin. Er ist vielmehr ganz anders aufgebaut, eher parallel zu den Grundgedanken und thematischen Schwerpunkten von *Narziß und Goldmund* als zu denen des *Glasperlenspiels* in seiner endgültigen Form.

Das Glasperlenspiel handelt von drei Gebieten menschlicher Initiative: der Kultur, der Kirche und dem Staat (Knecht, Pater Jakobus und Plinio Designori). Die Kirche repräsentiert in der symbolischen Struktur dieses Romans das historische Bewußtsein, an dem Knecht lernt, die Gültigkeit des kastalischen Ästhetizismus in Frage zu stellen. Seine Zweifel führen ihn schließlich dazu, dieser sterilen Welt Kastaliens abzusagen, um eine neue fruchtbare Wechselbeziehung zwischen den drei Bereichen herzustellen. Dieser Akt der Hingabe, der durch den Tod Josef

Knechts seinen Höhepunkt erreicht, enthüllt die eigentliche Aussage des Romans. Im Kontrast dazu zeigen die drei »Lebensläufe« Knechts geistige Verfassung in seinen jungen Jahren, als er die Überlegenheit des Reiches der Kultur noch nicht bezweifelte: jeder einzelne dieser »Lebensläufe« – sei es der Knechts, des Famulus oder des Dasa – schildert ein erneutes Aufgehen ganz im Dienst des Geistes.[1]

Der »Vierte Lebenslauf« jedoch ist ausgerichtet auf eine Loslösung von der Welt des reinen Geistes (hier durch die Theologie repräsentiert) zugunsten der Musik oder Kunst – aber eben *nicht* zugunsten einer aktiven Hingabe an die Welt. Er ist durchdrungen von der problematischen Spannung des *Narziß und Goldmund,* wo Goldmund aus dem Kloster und dessen steriler Geisteswelt flieht, um sich ganz der Kunst zu widmen. Am Ende erreicht er, wie Knecht im »Vierten Lebenslauf«, die Harmonie durch und mit Hilfe der Kunst – ein Erlebnis der Einheit, das Narziß und, zumindest andeutungsweise, auch den Vertretern des Geistes im »Vierten Lebenslauf« versagt bleibt, da die Kirche jener Zeit durch ihre Parteilichkeit zersplittert und auseinandergefallen ist. Bereits 1933–34 entstanden, vermittelt der »Vierte Lebenslauf« ein noch sehr frühes Stadium in Hesses Arbeit am *Glasperlenspiel.* Wohl hatte der Autor schon den formalen Rahmen vor Augen, d. h. die parallelen Existenzen, aber der inhaltliche Schwerpunkt wurde

---

[1] Dies ist natürlich Ansichtssache. In meinem Buch *The Novels of Hermann Hesse* (Princeton, New Jersey, 1965) habe ich diese meine Behauptung so klar wie möglich begründet.

noch ständig verlagert, bis er sich etwa um das Jahr 1938 in seiner endgültigen Form kristallisierte. Da nun der »Vierte Lebenslauf« näher bei *Narziß und Goldmund* steht als bei der eigentlichen Aussage des vollendeten *Glasperlenspiels*, konnte er in den fertiggestellten Roman nicht mehr sinnvoll eingearbeitet werden, war also unbrauchbar geworden. Ich glaube, daß Hesse dies sehr genau spürte. Selbst wenn er den schwäbischen Lebenslauf zu Ende geschrieben und stilistisch den formalen Erfordernissen des fertigen Romans angeglichen hätte, wäre er doch aus dem Rahmen gefallen, weil der schwäbische Knecht mehr ein jüngerer Bruder Goldmunds als eine geistige Projektion jener Gestalt ist, die wir mit dem Josef Knecht des *Glasperlenspiels* verbinden. Vollends deutlich wird dies in all jenen Passagen, wo Knechts Person und Herkunft charakterisiert sind:

»So gehörte zum Erbe des Knaben von beiden Eltern her die Musik, vom Vater her außerdem eine gewisse schwankende Haltung zwischen Geist und Trieb, zwischen Pflicht und Lässigkeit, dazu kam von seiten der Mutter die Devotion vor dem Geistlichen und eine Anlage zu Theologie und Spekulation. Unbewußt fühlte er stark mit seinem Vater ... Auf der anderen Seite aber stand die Mutter und stand eine Welt der Ordnung und Andacht und hinter ihr die große feierliche Heimat der Kirche« (S. 15).

Das archetypische Muster dieser Geschichte ist insofern interessant, als es für Hesse ganz ungewöhnlich ist: es wendet sich radikal von dem üblichen Schema ab, bei dem der Vater immer den Geist und die Welt der Ordnung darstellt, während die Mutter Kunst, *anima* und Natur verkörpert. Aber von diesem Unterschied abgesehen, der zudem nur im Aufbau und nicht in der Thematik liegt, ist das Dilemma des jungen Knecht identisch mit dem einer ganzen Reihe von Hesses Helden seit Emil Sinclair und Klein-Wagner. Alles Bemühen, den Helden der zweiten Fassung technisch weniger allegorisch zu machen, hätte die Grundstruktur und das Dilemma der Geschichte nicht ändern können. Schwankend zwischen Vater und Mutter, zwischen Geist und Natur, zwischen Verstand und Kunst, ist der schwäbische Knecht keineswegs eine Vorwegnahme des reifen Josef Knecht aus dem *Glasperlenspiel,* der sich mit überaus modernen, ja existentiellen Zweifeln an der Gültigkeit alles Geistigen überhaupt auseinandersetzt, nur um daraus eine neue geistige Sicht zu gewinnen, die sich ganz auf den Dienst am Menschen richtet.

Die simple pragmatische Erklärung für den Abbruch des »Vierten Lebenslaufs« wäre nicht überzeugend: Hesse hatte schon ähnliche Schwierigkeiten bei der Komposition anderer Werke gehabt und sie überwunden; zum Beispiel lag der erste Teil des *Siddhartha*-Manuskriptes zwei Jahre unangetastet, ehe Hesse in der Lage war, das Buch zu einem glücklichen Abschluß zu bringen. Nein, der wahre Grund muß ein innerer Grund gewesen sein. Als Hesse 1936 seinen Plan wieder aufgriff, erkannte er wohl, daß sich das Konzept des ganzen Romans so sehr verändert hatte, daß kein Raum mehr darin blieb für den schwäbischen Pietisten, der aus Liebe zur Musik die

Theologie aufgibt, d. h. sich vom Geist abwendet um der Kunst willen. Dieser Knecht aus dem achtzehnten Jahrhundert war nach rückwärts gekettet an Goldmund, Siddhartha und Emil Sinclair bis hin zu den Helden der deutschen Romantik. Der neue Josef Knecht aber wies nach vorn, über den Zweiten Weltkrieg hinaus, auf den *homme engagé* unserer gegenwärtigen Literatur. Hesses persönliche Anziehungskraft beruht in nicht geringem Maß auf dieser seiner absoluten Bereitschaft, jederzeit selbst über seine liebsten Gedanken und Vorstellungen hinauszuwachsen, sobald sie ihm angesichts der Wirklichkeit nicht mehr ausreichend erscheinen. Die beiden fragmentarisch gebliebenen Fassungen des »Vierten Lebenslaufs«, der dem Autor aus vielen Gründen doppelt am Herzen lag, liefern ein besonders eindringliches Beispiel für diese kompromißlose Aufrichtigkeit.

Theodore Ziolkowski

Das Werk von
Hermann Hesse
Eine Auswahl

15/1/8.84

Das Werk von
Hermann Hesse
Eine Auswahl

Einzelausgaben:
- Knulp. Drei Geschichten aus dem Leben Knulps. Mit dem unveröffentlichten Fragment ›Knulps Ende‹. Mit Steinzeichnungen von Karl Walser. it 394
- Lektüre für Minuten. Auswahl Volker Michels. st 7
- Lektüre für Minuten 2. Neue Folge. st 240
- Narziß und Goldmund. BS 65 und st 274
- Peter Camenzind. Erzählung. st 161
- Siddhartha. Eine indische Dichtung. BS 227 und st 182
- Stufen. Ausgewählte Gedichte. BS 342
- Unterm Rad. Erzählung. st 52 und BS 776
- Wanderung. BS 444

Mit Hermann Hesse durch das Jahr. Mit Reproduktionen von 13 aquarellierten Federzeichnungen von Hermann Hesse.

Materialien zu Hesses Werk:
Herausgegeben von Volker Michels
- zu ›Siddhartha« Band 1. stm. st 2048
  Band 2. Texte über Siddhartha. stm. st 2049

Hermann Hesse
Rezeption 1978-1983. Herausgegeben von Volker Michels. stm. st 2045

Hermann Hesse. Sein Leben in Bildern und Texten. Herausgegeben von Volker Michels. Gestaltet von Willy Fleckhaus. Mit Anmerkungen, Namenregister, Zitat- und Bildnachweis. Vorwort von Hans Mayer. Leinen

Hermann Hesse – Eine Werkgeschichte. Von Siegfried Unseld. Inhalt: Werkgeschichte. Bibliographie ausgewählter Sekundärliteratur. st 143

Schallplatten:
Hermann Hesse – Sprechplatte. Langspielplatte

15/2/8.84